ア a	イ i	ウ u	エ e	オ o
カ ka	キ ki	ク ku	ケ ke	コ ko
サ sa	シ shi	ス su	セ se	ソ so
タ ta	チ chi	ツ tsu	テ te	ト to
ナ na	ニ ni	ヌ nu	ネ ne	ノ no
ハ ha	ヒ hi	フ fu	ヘ he	ホ ho
マ ma	ミ mi	ム mu	メ me	モ mo
ヤ ya		ユ yu		ヨ yo
ラ ra	リ ri	ル ru	レ re	ロ ro
ワ wa				ヲ o
ン n				

キャ kya	キュ kyu	キョ kyo
シャ sha	シュ shu	ショ sho
チャ cha	チュ chu	チョ cho
ニャ nya	ニュ nyu	ニョ nyo
ヒャ hya	ヒュ hyu	ヒョ hyo
ミャ mya	ミュ myu	ミョ myo

リャ rya	リュ ryu	リョ ryo

ガ ga	ギ gi	グ gu	ゲ ge	ゴ go
ザ za	ジ ji	ズ zu	ゼ ze	ゾ zo
ダ da	ヂ ji	ヅ zu	デ de	ド do
バ ba	ビ bi	ブ bu	ベ be	ボ bo
パ pa	ピ pi	プ pu	ペ pe	ポ po

ギャ gya	ギュ gyu	ギョ gyo
ジャ ja	ジュ ju	ジョ jo

ビャ bya	ビュ byu	ビョ byo
ピャ pya	ピュ pyu	ピョ pyo

For newcomers 日本語入門

NIHONGO Breakthrough

From survival to communication in Japanese

JALアカデミー

まえがき

JAL アカデミーは、主にビジネスパーソンとその家族を対象に、日本語研修を実施してまいりました。10年程前、ある企業より日本に赴任してくる外国人社員のための生活サポート型日本語研修の要請があり、それに応えてオリジナル教材を開発しました。これが本書誕生のきっかけとなりました。

慣れない国で生活し、仕事をしなければならないビジネスパーソン、あるいはその家族にとって、必要最低限の日本語を短期間で身に付けることは、その後の生活を快適に送るための鍵となります。今回、私たちはそのことを念頭に、彼らが必ず遭遇するであろう場面に対処する力をつける「サバイバル」、そして周囲の日本人と簡単なコミュニケーションが図れるようになる「アイスブレーキング」の２部構成でテキストを作成しました。オリジナル教材は、10年の年月の中で多くのJAL アカデミーの学習者に使用され、さまざまな加筆、修正を経て、今日世に送り出されることになりました。

本書が、日本に赴任した多くのビジネスパーソンとその家族のお役に立ち、その後の日本での生活を実り豊かなものにする縁となることを願っています。

2009 年２月

JAL アカデミー株式会社
グローバル教育事業部
日本語セクション一同

Preface

JAL Academy has been offering Japanese language training mainly to business people and their families. Ten years ago, we had a request from a firm to develop a Japanese language training program for their foreign employees to support their new life in Japan. In response to this request, we developed a variety of our original teaching materials. This led to the birth of this book.

For business people and their families, who have to lead their new life and do business in this unfamiliar land, it is the key to acquire some Japanese quickly, in order to make their life comfortable. Bearing this in mind, we developed this textbook. It consists of two parts, ‘Survival’ and ‘Ice Breaking’. In ‘Survival’, learners can acquire skills to cope with survival situations they may encounter in their daily life. In ‘Ice Breaking’, they will learn to communicate with the Japanese people around them. This material has been used by a lot of learners at JAL Academy over the past ten years and, after various revisions and improvements, is now available to the general public.

We hope this book will go a long way toward helping foreign employees and their families have a fruitful life in Japan.

February, 2009

JAL ACADEMY Co., Ltd.
Global Training Division
Japanese Language Section

CONTENTS

本書について

1. 本書の特徴

本書は、日本語を初めて学ぶ、日本で生活し始めたばかりのビジネスパーソン、あるいはその家族のための日本語テキストである。それらの学習者が、日常生活を送る上で必要とされる最低限のコミュニケーションが取れるようになり、さらには、周囲の日本人とちょっとした日常会話ができるようになることを目指している。

本書は、とりあえず不必要な文法・語彙は削ぎ落として、各場面をこなすために本当に必要な文法のみを学んで使いこなせるようにすることにより、短期間の間に、「日本語でコミュニケーションが取れる」という自信が持てるように作られている。

従って、本書では「話す」、「聞く」の学習が中心であり、文字学習は含まれていないが、文字も並行して学習していく学習者、文字だけ先に学習した学習者のために、Dialogue 部分はローマ字とひらがな・カタカナの併記としてある。

総学習時間は、文字学習を並行していく場合でも、30～40 時間が目安である。

2. 全体の構成

本書は、**'Stage 1: Survival'** と **'Stage 2: Ice Breaking'** の 2 つのステージから成る。

■ **Stage 1: Survival** (Lesson 1 ～ Lesson 7)
日常生活において必要とされる場面に、最も簡単な文法を使い、最も効率よく対処できるようにする。

■ **Stage 2: Ice Breaking** (Lesson 8 ～ Lesson 10)
Survival で学習してきた基礎的な文法を体系づけることにより、それを使って自分で文を組み立て、身の回りの簡単な質問に答え、また自分からも質問をすることによって、簡単なコミュニケーションが取れるようにする。

3. 各課の構成

各課は、2 つあるいは 3 つの Dialogue から成る。

■ **Dialogue**: 学習者が日常生活で遭遇するであろう場面における会話

■ **Key Sentence**: Dialogue をこなすのに必要不可欠な文型、表現

■ **Drill**: Key Sentence で取り上げた文型、表現の代入練習

■ **Activity**:

Stage 1: Survival…Dialogue の場面をこなすための応用練習。Role-play では、学習者は 'You' の役割のみを練習

Stage 2: Ice Breaking…Dialogue の場面をこなすために必要な文法を身に付けて、使いこなせるようにするための練習。Role-play では、'A' と 'B' 両方の役割を練習

■ **One Point Box**: Dialogue を理解するために最低限必要な文法、表現等

■ **Vocabulary**: 各 Dialogue の当該見開き 2 ページの新出語彙

■ **Expressions**: 各 Dialogue の当該見開き 2 ページの新出表現

▲: 覚えて言えるようになる必要のある表現
Survival では、Mr. Green(学習者)の発話

▽: 聞いてわかればよい表現
Survival では、タクシー運転手、駅員、店員等、サービス提供者の発話

■ **Grammar Notes**: その課で新出の文法事項

■ **Additional Words & Expressions**: その課に関連する語彙、表現。全てを覚える必要はない。学習者に必要なもののみを選択すればよい

■ **Additional Grammar**: 本書で扱う場面に対処するためには必要ないが、更なる学習に有効な文法。以下４つの課に掲載

L1…名詞文非過去否定、L4…い形容詞非過去否定、L9…な形容詞非過去否定、L10…名詞文過去否定、い・な形容詞過去否定

■ **Cultural Information**: 日本で生活する上で、知っておいたほうがよい文化情報

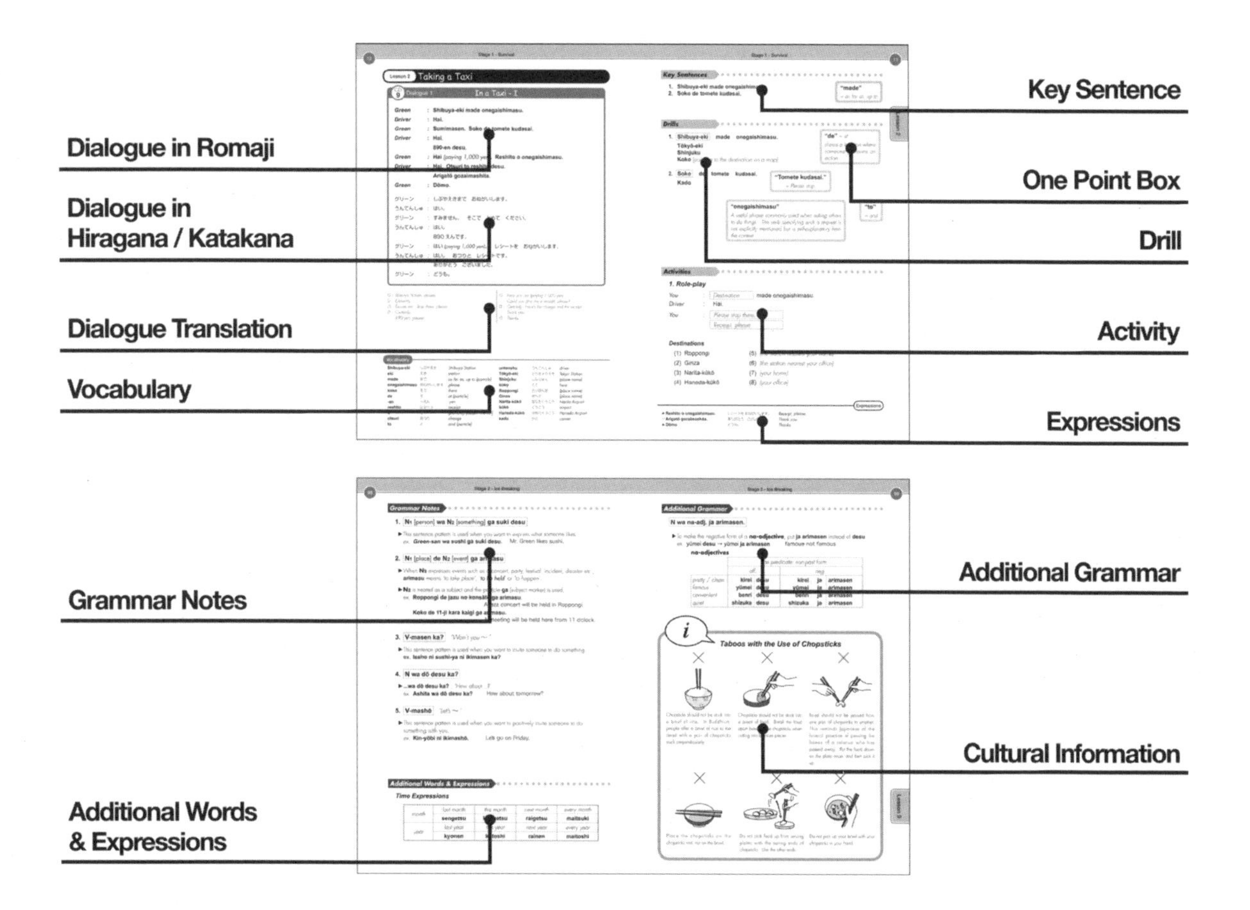

4．その他

■ **CD Scripts and Answers for Activities**: Activity の解答例と CD 録音スクリプト

解答例の中で、▇▇▇▇▇▇のものは、解答の一例

■ **Japanese–English Glossary**: 本書に出ている語彙・表現

■ **Illustrations for Survival Dialogues**: Survival の各ダイアローグの流れに沿ったイラストで、導入あるいは Role-play に便利（別冊）

■ **Appendixes**: 本書で扱う助詞、疑問詞、名詞文、動詞文、形容詞文のまとめ（別冊）

About This Book

1. Characteristics of This Book

This book was written for business people and their families who have just started their life in Japan and are about to learn Japanese for the first time. The primary aim is for those learners to be able to have the minimum communication skills required for their daily life and furthermore, to be able to enjoy daily conversations with the Japanese people around them.

In this book, unnecessary grammar and vocabulary are cut down and only the grammar essential to cope with each situation is presented. By doing this, learners are able to have confidence in communication in Japanese in a short period.

Therefore, 'speaking' and 'listening' are centered in the book and learning characters is not included. However, the dialogues are written both in Roman characters and Hiragana / Katakana for the learners who learn characters at the same time or those who have already learned them in advance.

Standard total study hours are 30 ～ 40, even in the case the learner learns the characters in parallel.

2. Structure of This Book

This book consists of the two stages, **'Stage 1: Survival'** and **'Stage 2: Ice Breaking'.**

■ **Stage 1: Survival** （Lesson 1 ～ Lesson 7）

The primary aim of this stage is for the learners to be able to efficiently cope with various situations required for their daily life.

■ **Stage 2: Ice Breaking** （Lesson 8 ～ Lesson 10）

All the basic grammar that the learners have learned in 'Survival' is systematized in this stage. The learners will be able to have simple communication by constructing sentences on their own and, using those, answering and asking simple questions on familiar topics.

3. Structure of Each Lesson

Each lesson consists of two to three dialogues.

■ **Dialogue**: Conversations in situations that learners may encounter in their daily life

■ **Key Sentence**: Sentence patterns and expressions required for the dialogue

■ **Drill**: Substitution drill of the sentence patterns and expressions in the 'Key Sentence'

■ **Activity**:

Stage 1: Survival···Practical exercises to be able to cope with the situation of the dialogue
Learners will play only the role of 'You' in the role-play.

Stage 2: Ice Breaking···Practical exercises to acquire the necessary grammar and be able to use it to cope with the situation of the dialogue
Learners will play the role of both 'A' and 'B' in the role-play.

■ **One Point Box**: Minimum grammar / expressions to understand the dialogue

■ **Vocabulary**: New vocabulary from the two facing pages of each dialogue

■ **Expressions**: New expressions from the two facing pages of each dialogue

▲: The expressions learners need to be able to use
Mr. Green's expressions in 'Survival'

▽ : The expressions learners need to understand
Expressions of people who are offering services, such as taxi drivers, station staff and shop clerk in 'Survival'

- **Grammar Notes**: New grammar in the lesson
- **Additional Words & Expressions**: Vocabulary / expressions related to the lesson
  Learners need to choose and learn only the ones they need.
- **Additional Grammar**: The grammar not required to cope with the situations in this book. Seen in the following four lessons;
  L1···non-past neg. of noun sentences, L4···non-past neg. of i-adjectives, L9···non-past neg. of na-adjectives, L10···past neg. of noun sentences, past neg. of i-adjectives and na-adjectives
- **Cultural Information**: Cultural information useful for the people who live in Japan

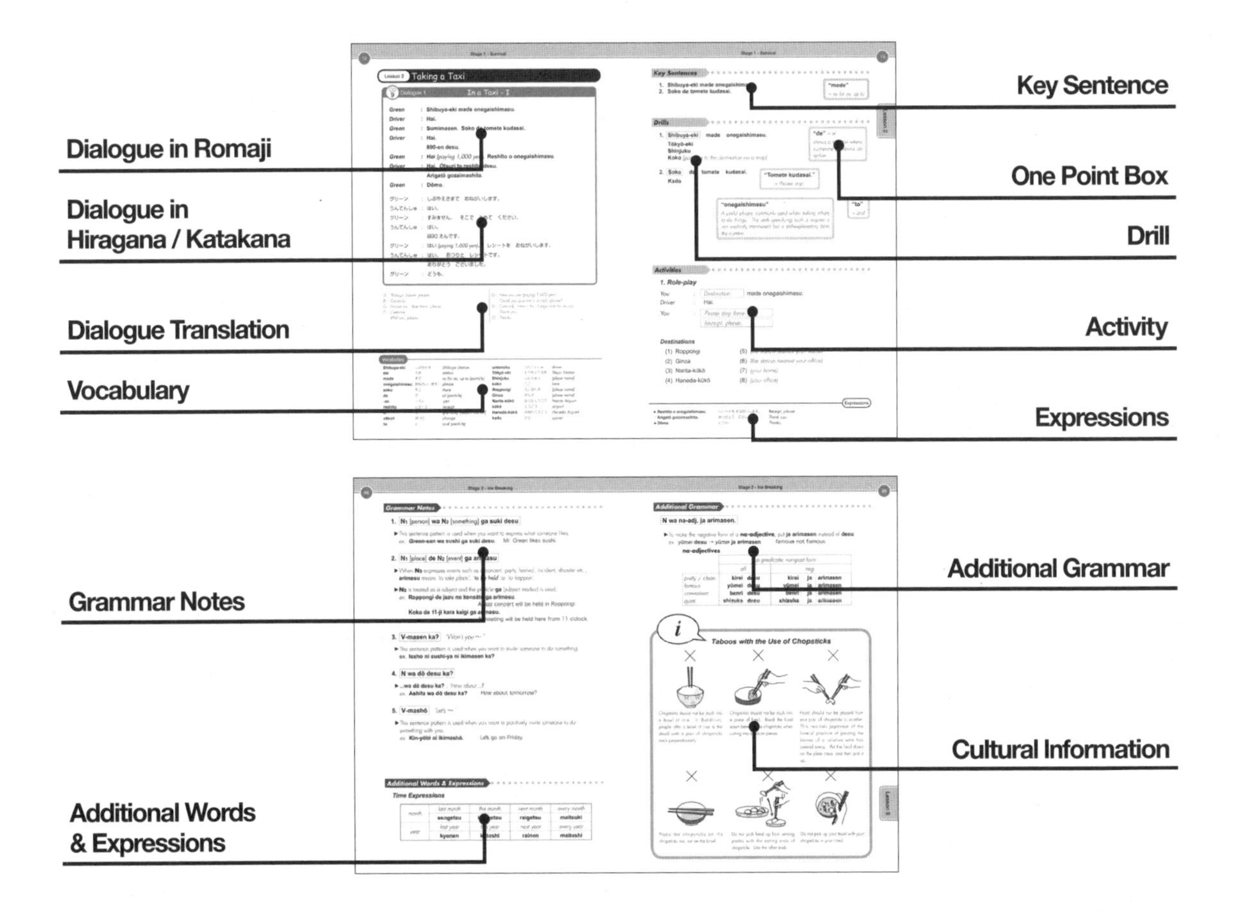

4. Other

- **CD Scripts and Answers for Activities**: Answers for Activity and CD scripts
  [shaded] parts are sample answers
- **Japanese–English Glossary**: Vocabulary and expressions in this book
- **Illustrations for Survival Dialogues**: Illustrations that follow the story of each Survival Dialogue
  Useful for introduction of dialogues and role-plays (Separate Volume)
- **Appendixes**: Review of particles, question words, noun sentences, verb sentences and adjective sentences (Separate Volume)

Tips on the Japanese Language

1. Sentence Structures

The Japanese and English languages have different sentence structures. English sentences are in the order of **subject + verb + object** (e.g., I + eat + bread), whereas Japanese sentences are often in the order of **subject + object + verb** (e.g., I + bread + eat).
In Japanese, the verb is usually placed at the end of a sentence.

2. Particle

In the Japanese language, particles have special roles and significance. Japanese particles can be thought of as being similar to English prepositions, but they are used differently.
They have no meaning in themselves and merely indicate the relationship between the preceding and following words.

3. Omission

When the topic is obvious to both the speaker and the listener, that topic is generally omitted.

4. Singular and Plural Nouns

In Japanese, no difference is distinguished between singular and plural nouns. For example, the noun **hon** (book) can mean both one book and many books.

5. Japanese Script

There are three kinds of letters in Japanese: Hiragana, Katakana and Kanji (Chinese characters). Hiragana and Katakana are phonetic representations of sounds, and each letter basically corresponds to one mora (a unit of sound). Kanji convey meanings as well as sounds. In Japanese script, all three types of letters are used. Katakana is used to write foreign names and loan-words. A total of 1,945 Kanji letters are fixed as essential for daily use.

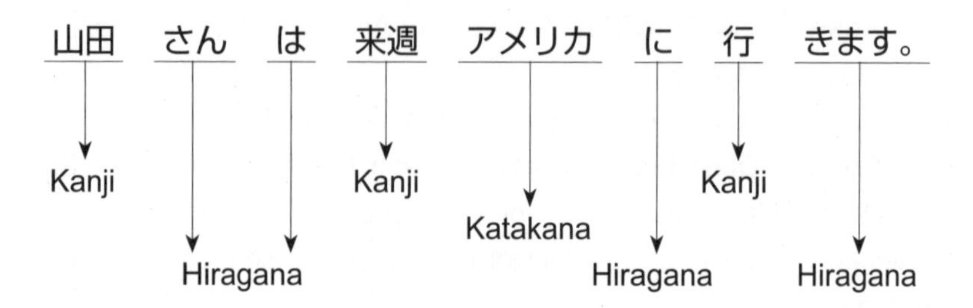

(Ms. Yamada is going to America next week.)

CD 1 6. Japanese Syllabic Sounds

Japanese can also be written in ROMAJI (or Roman letters).
In ROMAJI there are a total of 101 syllabic sounds, and most of them are consonant-vowel combinations as shown in the syllabary below.

	/a/	/i/	/u/	/e/	/o/	/a/	/u/	/o/
Vowel	a	i	u	e	o			
/k/ group	ka	ki	ku	ke	ko	kya	kyu	kyo
/s/	sa	shi	su	se	so	sha	shu	sho
/t/	ta	chi	tsu	te	to	cha	chu	cho
/n/	na	ni	nu	ne	no	nya	nyu	nyo
/h/	ha	hi	fu	he	ho	hya	hyu	hyo
/m/	ma	mi	mu	me	mo	mya	myu	myo
/y/	ya	--	yu	--	yo	--	--	--
/r/	ra	ri	ru	re	ro	rya	ryu	ryo
/w/	wa	--	--	--	--	--	--	--
/g/ group	ga	gi	gu	ge	go	gya	gyu	gyo
/z/	za	ji	zu	ze	zo	ja	ju	jo
/d/	da	--	--	de	do	--	--	--
/b/	ba	bi	bu	be	bo	bya	byu	byo
/p/	pa	pi	pu	pe	po	pya	pyu	pyo
Syllabic Nasal :	n							

Long Vowels	ā	ii / ī	ū	ē / ei	ō

Try to actually pronounce them.

vowel →	**a**	**i**	**u**	**e**	**o**
k	**ka**	**ki**	**ku**	**ke**	**ko**
s		**shi**			
t		**chi**	**tsu**		
n					
h			**fu**		
m					
y		/		/	
r					
w		/	/	/	/
g					
z		**ji**			
d		/	/		
b					
p					
n					

consonant

1

Ohayō gozaimasu. *Good morning.*

2

Konnichiwa. *Hello. / Good afternoon.*

3

Konbanwa. *Good evening.*

4

Sayōnara. *Good bye.*

5

Oyasuminasai. *Good night.*

6

A: Osakini shitsurei shimasu.
Good bye.
(When you leave the office before your colleague.)

B: Otsukaresama deshita.
Good bye.
(When your colleague leaves the office before you.)

7

A: Dōzo. *Please.*
B: Dōmo. *Thanks.*

8

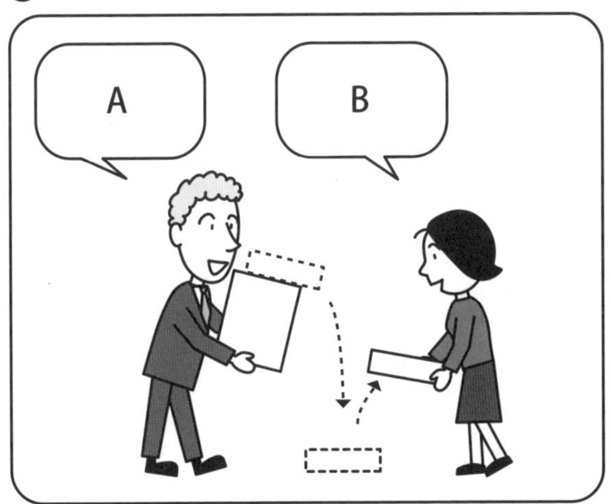

A: Arigatō gozaimasu. *Thank you.*
B: Iie. *You're welcome.*

9

Sumimasen. *Excuse me!*

10

Sumimasen. *Excuse me.*

11

Sumimasen. *I'm sorry.*

CD 3 *Useful Expressions for Survival*

Do you understand English?

⇒ **Eigo ga wakarimasu ka?**

I don't understand Japanese.

⇒ **Nihon-go ga wakarimasen.**

Please write it.

⇒ **Kaite kudasai.**

Could you repeat that, please?

⇒ **Mō ichido onegaishimasu.**

Stage 1

Survival

Lesson 1 First Meetings

CD 4 Dialogue 1 At the Office

Hayashi : **Hajimemashite.**
Hayashi desu.
Dōzo yoroshiku.

Green **:** **Hajimemashite.**
***Green* desu.**
Dōzo yoroshiku.

はやし　：はじめまして。
はやしです。
どうぞ　よろしく。

グリーン　：はじめまして。
グリーンです。
どうぞ　よろしく。

H : How do you do.
I'm Hayashi.
Nice to meet you.
G : How do you do.
I'm Green.
Nice to meet you.

Vocabulary

Hayashi	はやし	*(surname)*
desu	です	*to be (is/am/are)*
watashi	わたし	*I*
wa	は	*as for, talking about (particle) [topic marker]*

Key Sentence

1. **(Watashi wa) *Green* desu.**

"wa"
[topic marker]
= as for…,
talking about …

Drill

1. **(Watashi wa) *Green* desu.**
   Hayashi

"desu"
is equivalent to
'be' in English

***Green* desu. = (Watashi wa) *Green* desu.**
I'm Green.
When the topic is obvious to both the speaker and the listener, that topic (+topic marker) is generally omitted.

Activity

Role-play

Hayashi : Hajimemashite.
Hayashi desu.
Dōzo yoroshiku.

You :

Expressions

▲**Hajimemashite.**	はじめまして。	*How do you do.*
▲**Dōzo yoroshiku.**	どうぞ　よろしく。	*Nice to meet you.*

CD 5 Dialogue 2 In a Hotel Lobby

—Approaching Mr. ?...

Green : **Sumimasen.**
Suzuki-san desu ka?

Mr. ? : **Iie.**

Green : **Sumimasen.**

グリーン : すみません。
すずきさんですか。

Mr. ? : いいえ。

グリーン : すみません。

—Approaching Mr. Suzuki...

Green : **Sumimasen.**
Suzuki-san desu ka?

Suzuki : **Hai. Suzuki desu.**

Green : **Hajimemashite. *Sunny* no *Green* desu.**
Dōzo yoroshiku.

Suzuki : **Hajimemashite. *AA-Bank* no Suzuki desu.**
Dōzo yoroshiku.

グリーン : すみません。
すずきさんですか。

すずき : はい。 すずきです。

グリーン : はじめまして。 サニーの グリーンです。
どうぞ よろしく。

すずき : はじめまして。 AA バンクの すずきです。
どうぞ よろしく。

—Approaching Mr. ?...
G : Excuse me.
Are you Mr. Suzuki?
? : No.
G : I'm sorry.

—Approaching Mr. Suzuki...
G : Excuse me.
Are you Mr. Suzuki?
S : Yes. I'm Suzuki.
G : How do you do. I'm Green from Sunny.
Nice to meet you.
S : How do you do. I'm Suzuki from AA-Bank.
Nice to meet you.

Vocabulary

Suzuki	すずき	*(surname)*
san	さん	*Mr., Mrs., Ms., and Miss (suffix)*
ka	か	*(particle), [question marker]*
iie	いいえ	*no*
hai	はい	*yes*
Sunny	サニー	*(company's name)*
no	の	*from (particle)*
AA-Bank	AA バンク	*(company's name)*
J-Foods	J フーズ	*(company's name)*
Yamada	やまだ	*(surname)*

Key Sentences

1. **Suzuki-san desu ka?**
2. ***Sunny* no *Green* desu.**

"ka" *[question marker]*

In Japanese, a question is made simply by putting **ka** *at the end of a sentence, and raising the intonation.*

"Hai" : *yes*

"Iie" : *no*

Drills

1. **Suzuki-san** desu ka?
   Hayashi-san
   Yamada-san

"no"

A **no** *B (= B from A)*

2. ***Sunny*** no ***Green*** desu.
   AA-Bank **Suzuki**
   J-Foods **Yamada**

"Suzuki-san desu ka?"

=~~"Anata wa Suzuki-san desu ka?~~"

Anata *(you) is not commonly used, except by a superior to a subordinate.*
So, saying **"Anata wa Suzuki-san desu ka?"** *is not appropriate.*

"-san"

is a title of respect added to a name, so it cannot be used after your own name. **-san** *is used with both male and female names, and with either surname or given name.*

Activity

Role-play

(1) *You* : *Excuse me. Are you Mr. Suzuki?*
Mr. ? : Iie.
You : *I'm sorry.*

(2) *You* : *Excuse me. Are you Mr. Suzuki?*
Suzuki : Hai. Suzuki desu.
You : *How do you do. I'm (your company name + your name). Nice to meet you.*
Suzuki : Hajimemashite. *AA-Bank* no Suzuki desu.
Dōzo yoroshiku.

Expressions

▲**Sumimasen**. すみません。 *Excuse me. / I'm sorry.*

CD 6 Dialogue 3 In a Meeting Room

—Mr. Green gives his contact number to Mr. Suzuki.

Green : *(Pointing to the number on the business card)*
Ofisu no denwa-bangō desu.
Keitai wa 090-1234-5678 desu.

Suzuki : **090-1234-5678 desu ne** *(writing it down...)***?**

Green : **Hai.**

グリーン : *(Pointing to the number on the business card)*
オフィスの　でんわばんごうです。
けいたいは　090-1234-5678 です。

すずき : 090-1234-5678 ですね *(writing it down...)*。

グリーン : はい。

G : (Pointing to the number on the business card)
This is my office phone number.
My mobile phone number is 090-1234-5678.

S : 090-1234-5678, right (writing it down...)?
G : Yes.

Sunny

Tom Green

x-x-x Nishi, Shibuya-ku, Tokyo
TEL 03-9876-5432
E-mail: tomgreen@sunny.com

Vocabulary

ofisu	オフィス	*office*
no	の	*(particle), [possessive marker]*
denwa-bangō	でんわばんごう	*telephone number*
keitai	けいたい	*mobile phone*
ne	ね	*(particle), [sentence ending particle]*
kaisha	かいしゃ	*company*
uchi	うち	*home*
naisen	ないせん	*extension*

Key Sentences

1. **Ofisu no denwa-bangō desu.**
2. **Keitai wa 090-1234-5678 desu.**

> **"no"** *[possessive marker]*
> A **no** B *(= A's B)*

Drills

1. **Ofisu** no denwa-bangō desu.
   Watashi
   ***Green*-san**
   Kaisha
   Uchi

2. **Keitai** wa **090-1234-5678** desu.
   Naisen **123**

> **"ne"** *[sentence ending particle]*
> *used to ask for another person's confirmation or agreement*

Activities

1. Learning Numbers

Step 1. Learn the following numbers.

0	**zero / rei**		
1	**ichi**	6	**roku**
2	**ni**	7	**nana / shichi ***
3	**san**	8	**hachi**
4	**yon / shi ***	9	**kyū / ku ***
5	**go**	10	**jū**

* *For telephone numbers, use* **'yon'** *(4)* **'nana'** *(7) and* **'kyū'** *(9).*

CD 7 *Step 2. Listen to the CD and choose the correct numbers.*

a. **1** **3** **2** b. **5** **10** **0**

c. **4** **6** **8** d. **7** **9** **2**

2. Give your telephone number.

Uchi no denwa-bangō wa ____________ desu.

Keitai wa ____________ desu.

Additional Words & Expressions

Country, People & Language

Kuni *Country*	**Hito** *People*	**Kotoba** *Language*
Amerika *(U.S.A)*	**Amerika-jin**	**Eigo** *(English)*
Chūgoku *(China)*	**Chūgoku-jin**	**Chūgoku-go** *(Chinese)*
Doitsu *(Germany)*	**Doitsu-jin**	**Doitsu-go** *(German)*
Furansu *(France)*	**Furansu-jin**	**Furansu-go** *(French)*
Igirisu *(U.K.)*	**Igirisu-jin**	**Eigo** *(English)*
Indo *(India)*	**Indo-jin**	**Hinzū-go** *(Hindustani)*
Itaria *(Italy)*	**Itaria-jin**	**Itaria-go** *(Italian)*
Kanada *(Canada)*	**Kanada-jin**	**Eigo** *(English)*
Kankoku *(R. of Korea)*	**Kankoku-jin**	**Kankoku-go** *(Korean)*
Nihon *(Japan)*	**Nihon-jin**	**Nihon-go** *(Japanese)*
Ōsutoraria *(Australia)*	**Ōsutoraria-jin**	**Eigo** *(English)*
Supein *(Spain)*	**Supein-jin**	**Supein-go** *(Spanish)*
	-jin	**-go**

Job

shigoto	*job*	**shigoto**	*job*
kaisha-in	*company employee*	**hisho**	*secretary*
ginkō-in	*bank employee*	**bengoshi**	*lawyer*
enjinia	*engineer*	**kaikeishi**	*accountant*

CD 8 Questions Often Asked

Q: O-kuni wa?

→ **A: Amerika desu.**

Q: Where do you come from?

→ *A: I come from the U.S.A.*

Q: O-shigoto wa?

→ **A: Kaisha-in desu.**

Q: What do you do?

→ *A: I'm a company employee.*

***o-kuni** : *polite expression of* **kuni** *(=country)*

***o-shigoto** : *polite expression of* **shigoto** *(=job)*

"O + noun + wa?"

The simplest way to politely ask for nationality, occupation, etc.

o = *honorific prefix*

Exchanging Business Cards

Business cards (**meishi**) are normally exchanged and examined carefully to determine a person's 'group' affiliation, before conversations are developed. Japanese enjoy exchanging cards very much. Be sure to come well stocked when planning to meet a group of Japanese people that you don't know.

Preparation of Cards

- Put cards exclusively in a **meishi case**. Don't put them in your wallet.
- Be sure to be well prepared for offering your card.
- Keep your own cards separate from those you receive.

Order of Exchanging Cards

① ***Greeting***

② ***Offering a card***

③ ***Receiving a card***

- Don't offer your card over the table. You should approach the other party.
- Offer your card with your right hand and greet the other person, saying your name and company name clearly.

UP
Tom Green

- When you are offered a business card, receive it with both hands.

- Keep the business card you have received on the table during the meeting. Don't fiddle with it or write anything on the card.

Grammar Notes

1. N1 wa N2 desu.   **N:** noun

ex. **Watashi wa *Green* desu.** *I'm Green.*

▶Particle **wa** : Topic marker
The particle **wa** indicates that the word before it is the topic of the sentence.

▶**desu**
Nouns followed by **desu** work as the predicate, and **desu** indicates judgment or assertion. A sentence started by **'N1 wa ...'** (Talking about **N1**...) is concluded by **'N2 desu'**.

▶Omission of topic (**N1**)
When it is obvious both to the speaker and the listener what they are talking about, the topic is generally omitted.
ex. ***Green* desu. = Watashi wa *Green* desu.** *I'm Green.*

2. S ka.   **S:** sentence

ex. Q: **Suzuki-san desu ka?** *Q: Are you Mr. Suzuki?*
A: **Hai.** *A: Yes.*
A: **Iie.** *A: No.*

▶Particle **ka**: Question marker
In Japanese, a question is made simply by putting **ka** at the end of a sentence, and raising the intonation on the particle **ka**.
The word order does not change.

3. N1 no N2

▶Particle **no**:
N1 no N2 means:
(1) **N2** from **N1**   (2) **N1**'s **N2** [possessive marker]
ex. (1) ***Sunny* no *Green*-san** *Mr. Green from Sunny*
(2) **watashi no denwa-bangō** *my telephone number*

Additional Grammar

N1 wa N2 ja arimasen.

▶**ja arimasen**
Negative form of **desu**

ex. **Watashi wa Suzuki ja arimasen.** *I'm not Suzuki.*

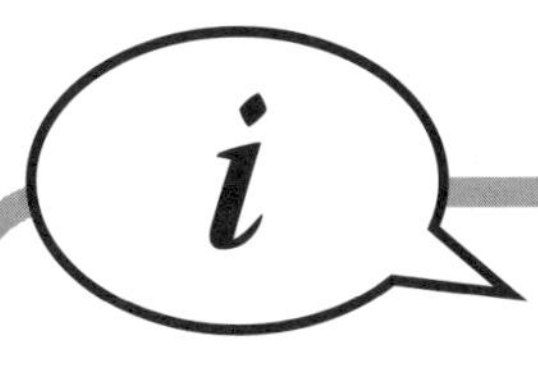

Seating Arrangement Customs

Usually, the guest of honor will be expected to sit in the chair the farthest from the door, but guests will often show their humility by refusing the seat. If you are not sure where to sit, just wait until someone points you to a seat. Basically, you just want to avoid the faux pas of plopping down in the guest of honor's chair or, in really formal settings, sitting where one of the higher-ranking executives was expecting to sit.

Basis to decide guest seats

- Seats **FAR FROM THE DOOR**
- Position from where **YOU CAN SEE THE DOOR**
- **SOFA** rather than an armchair

Where to seat yourself

- When you are guided to the sofa, follow the guidance.
- When you are the only visitor, you should **take the lowest ranking seat** of the sofa: it gives **a humble impression** to the other party.
- If you are in a group of 2 to 3, **the person of the highest position takes the farthest seat from the door.**

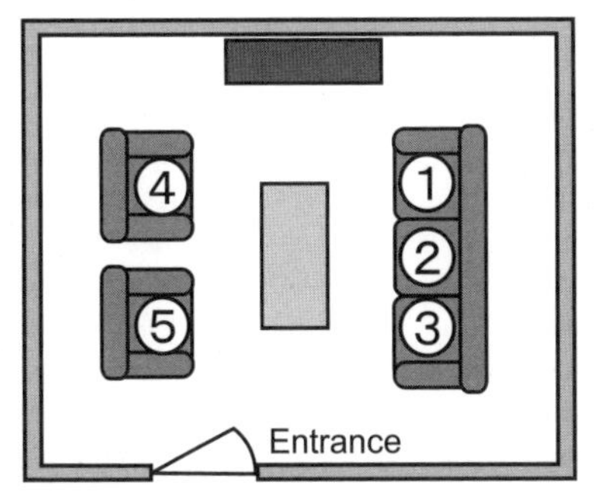

•*Elevator*

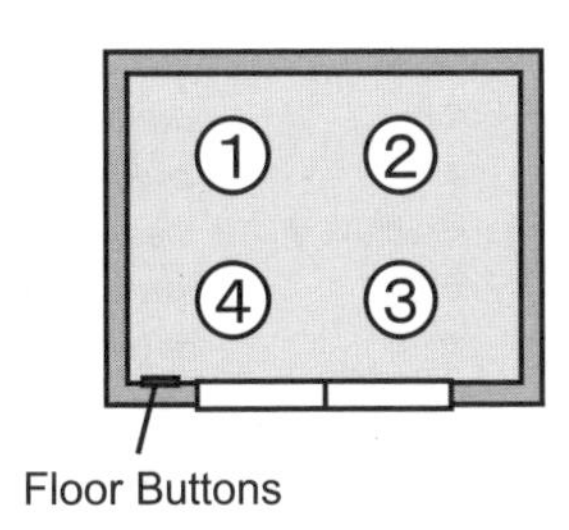

Lesson 2 Taking a Taxi

CD 9 Dialogue 1 In a Taxi - I

Green	:	**Shibuya-eki made onegaishimasu.**
Driver	:	**Hai.**
		. . .
Green	:	**Sumimasen. Soko de tomete kudasai.**
Driver	:	**Hai.**
		890-en desu.
Green	:	**Hai** *(paying 1,000 yen)*. **Reshīto o onegaishimasu.**
Driver	:	**Hai. Otsuri to reshīto desu.**
		Arigatō gozaimashita.
Green	:	**Dōmo.**

グリーン	:	しぶやえきまで　おねがいします。
うんてんしゅ	:	はい。
		. . .
グリーン	:	すみません。　そこで　とめて　ください。
うんてんしゅ	:	はい。
		890えんです。
グリーン	:	はい *(paying 1,000 yen)*。　レシートを　おねがいします。
うんてんしゅ	:	はい。　おつりと　レシートです。
		ありがとう　ございました。
グリーン	:	どうも。

G : Shibuya Station, please.
D : Certainly.
. . .
G : Excuse me. Stop there, please.
D : Certainly.
890 yen, please.

G : Here you are (paying 1,000 yen).
Could you give me a receipt, please?
D : Certainly. Here's the change and the receipt.
Thank you.
G : Thanks.

Vocabulary

Shibuya-eki	しぶやえき	*Shibuya Station*
eki	えき	*station*
made	まで	*as far as, up to (particle)*
onegaishimasu	おねがいします	*please*
soko	そこ	*there*
de	で	*at (particle)*
-en	～えん	*-yen*
reshīto	レシート	*receipt*
o	を	*(particle), [object marker]*
otsuri	おつり	*change*
to	と	*and (particle)*
untenshu	うんてんしゅ	*driver*
Tōkyō-eki	とうきょうえき	*Tokyo Station*
Shinjuku	しんじゅく	*(place name)*
koko	ここ	*here*
Roppongi	ろっぽんぎ	*(place name)*
Ginza	ぎんざ	*(place name)*
Narita-kūkō	なりたくうこう	*Narita Airport*
kūkō	くうこう	*airport*
Haneda-kūkō	はねだくうこう	*Haneda Airport*
kado	かど	*corner*

Key Sentences

1. **Shibuya-eki made onegaishimasu.**
2. **Soko de tomete kudasai.**

"made"
= *as far as, up to*

Drills

1. **Shibuya-eki** **made onegaishimasu.**
   Tōkyō-eki
   Shinjuku
   Koko *(pointing to the destination on a map)*

"de" = *at*
shows a location where someone performs an action

2. **Soko** **de tomete kudasai.**
   Kado

"Tomete kudasai."
= *Please stop.*

"onegaishimasu"
A useful phrase commonly used when asking others to do things. The verb specifying such a request is not explicitly mentioned but is self-explanatory from the context.

"to"
= *and*

Activities

1. Role-play

You : *(Destination)* made onegaishimasu.
Driver : Hai.
You : *Stop there, please.*
Could you give me a receipt, please?

Destinations

(1) Roppongi
(2) Ginza
(3) Narita-kūkō
(4) Haneda-kūkō
(5) *(the station nearest your home)*
(6) *(the station nearest your office)*
(7) *(your home)*
(8) *(your office)*

Expressions

▲ **Reshīto o onegaishimasu.**	レシートを　おねがいします。	*Receipt, please.*
▽ **Arigatō gozaimashita.**	ありがとう　ございました。	*Thank you.*
▲ **Dōmo**	どうも。	*Thanks.*

2. Learning Numbers

Step 1. Learn the following numerals.

0	**zero / rei**	10	**jū**
1	**ichi**	11	**jū ichi**
2	**ni**	12	**jū ni**
3	**san**	13	**jū san**
4	**yon / shi**	14	**jū yon / jū shi**
5	**go**	15	**jū go**
6	**roku**	16	**jū roku**
7	**nana / shichi**	17	**jū nana / jū shichi**
8	**hachi**	18	**jū hachi**
9	**kyū / ku**	19	**jū kyū / jū ku**
10	**jū**	20	**ni-jū**

(→ Lesson 1)

10	**jū**
20	**ni-jū**
30	**san-jū**
40	**yon-jū**
50	**go-jū**
60	**roku-jū**
70	**nana-jū**
80	**hachi-jū**
90	**kyū-jū**
100	**hyaku**

100	**hyaku**	1,000	**sen / issen**
200	**ni-hyaku**	2,000	**ni-sen**
300	**san-byaku**	3,000	**san-zen**
400	**yon-hyaku**	4,000	**yon-sen**
500	**go-hyaku**	5,000	**go-sen**
600	**roppyaku**	6,000	**roku-sen**
700	**nana-hyaku**	7,000	**nana-sen**
800	**happyaku**	8,000	**hassen**
900	**kyū-hyaku**	9,000	**kyū-sen**

Additional Words & Expressions

10,000	**ichi-man**
100,000	**jū-man**
1,000,000	**hyaku-man**
10,000,000	**issen-man**

CD 10 *Step 2. Choose the correct numbers.*

a.	10	20	50
b.	60	70	90
c.	30	40	80
d.	100	600	900
e.	300	500	700
f.	200	400	800

CD 11 *Step 3. Choose the correct prices.*

a.	¥210	¥230	¥250
b.	¥720	¥770	¥780
c.	¥390	¥490	¥590
d.	¥640	¥840	¥940
e.	¥1,100	¥1,200	¥1,500
f.	¥1,460	¥1,660	¥1,860

CD 12 *Step 4. A taxi driver is telling the fare to a passenger.*
Choose the correct prices.

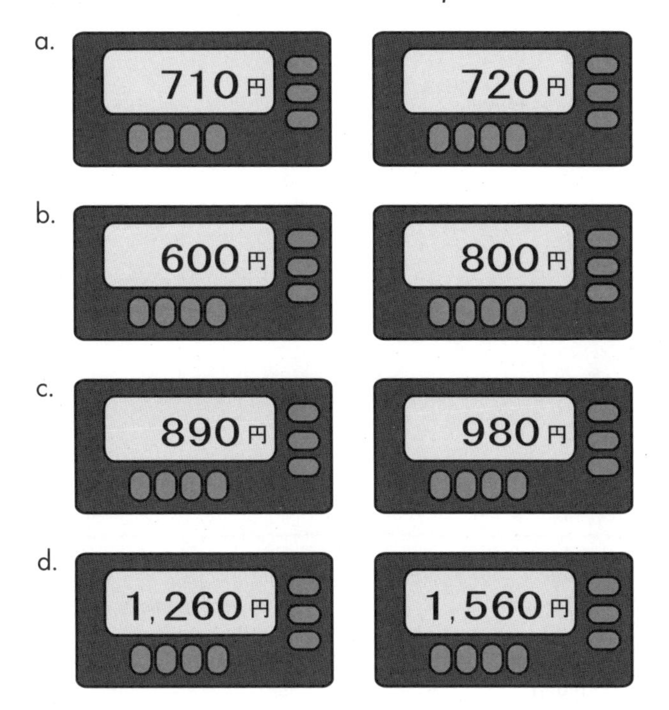

*円 *yen* (¥)

CD 13 Dialogue 2

In a Taxi - II

Green : **Shibuya made onegaishimasu.**
Driver : **Hai.**

. . .

Green : **Kono tōri o massugu onegaishimasu.**
Driver : **Hai.**

. . .

Green : **Sumimasen. Tsugi no shingō o migi ni onegaishimasu.**
Driver : **Tsugi no shingō o migi desu ne.**
Green : **Hai.**

. . .

Green : **Sumimasen. Soko de tomete kudasai.**
Driver : **Hai.**

グリーン : しぶやまで　おねがいします。
うんてんしゅ : はい。

. . .

グリーン : この　とおりを　まっすぐ　おねがいします。
うんてんしゅ : はい。

. . .

グリーン : すみません。　つぎの　しんごうを　みぎに　おねがいします。
うんてんしゅ : つぎの　しんごうを　みぎですね。
グリーン : はい。

. . .

グリーン : すみません。　そこで　とめて　ください。
うんてんしゅ : はい。

G : Shibuya, please.
D : Certainly.

. . .

G : Go straight along this street, please.
D : Certainly.

. . .

G : Excuse me. Turn right at the next traffic light, please.
D : Turn right at the next traffic light, right?
G : Yes, please.

. . .

G : Excuse me. Stop there, please.
D : Certainly.

Vocabulary

kono	この	*this*
tōri	とおり	*street*
o	を	*along, at (particle)*
massugu	まっすぐ	*straight*
tsugi no	つぎの	*next*
shingō	しんごう	*traffic light*
migi	みぎ	*right*
ni	に	*to, toward (particle) [direction marker]*
kōsaten	こうさてん	*crossing*
hidari	ひだり	*left*

Key Sentence

1. **Kono tōri o massugu onegaishimasu.**

"o" = *along, at*
indicates a space along / at / through which someone or something moves

Drill

1.	Kono tōri	o	massugu	onegaishimasu.
	Shingō			
	Kōsaten			
	Kado	o	migi ni	
	Shingō		hidari ni	
	Kōsaten		migi ni	

"ni" *[direction marker]*
= to, toward
indicates a place toward which someone or something moves

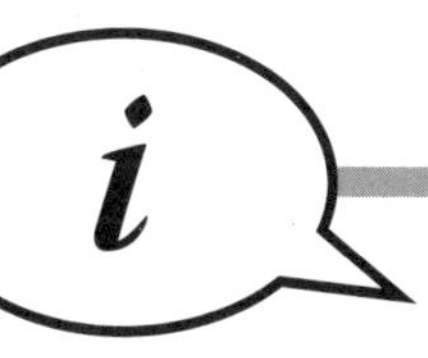

Taxi Receipts

When you get out of a taxi, make sure to get a receipt.

On the receipt, there is the name and telephone number of the taxi company, car number, etc. This way you will have a phone number to call, if you have left something in the taxi.

領収書

20XX 年 4 月 22 日
車番 013760

合計　　710 円
上記の通り領収致しました

○○○タクシー
TEL 042-35-62XX

Activities

1. Giving Directions

Step 1. Learn the following words and expressions.

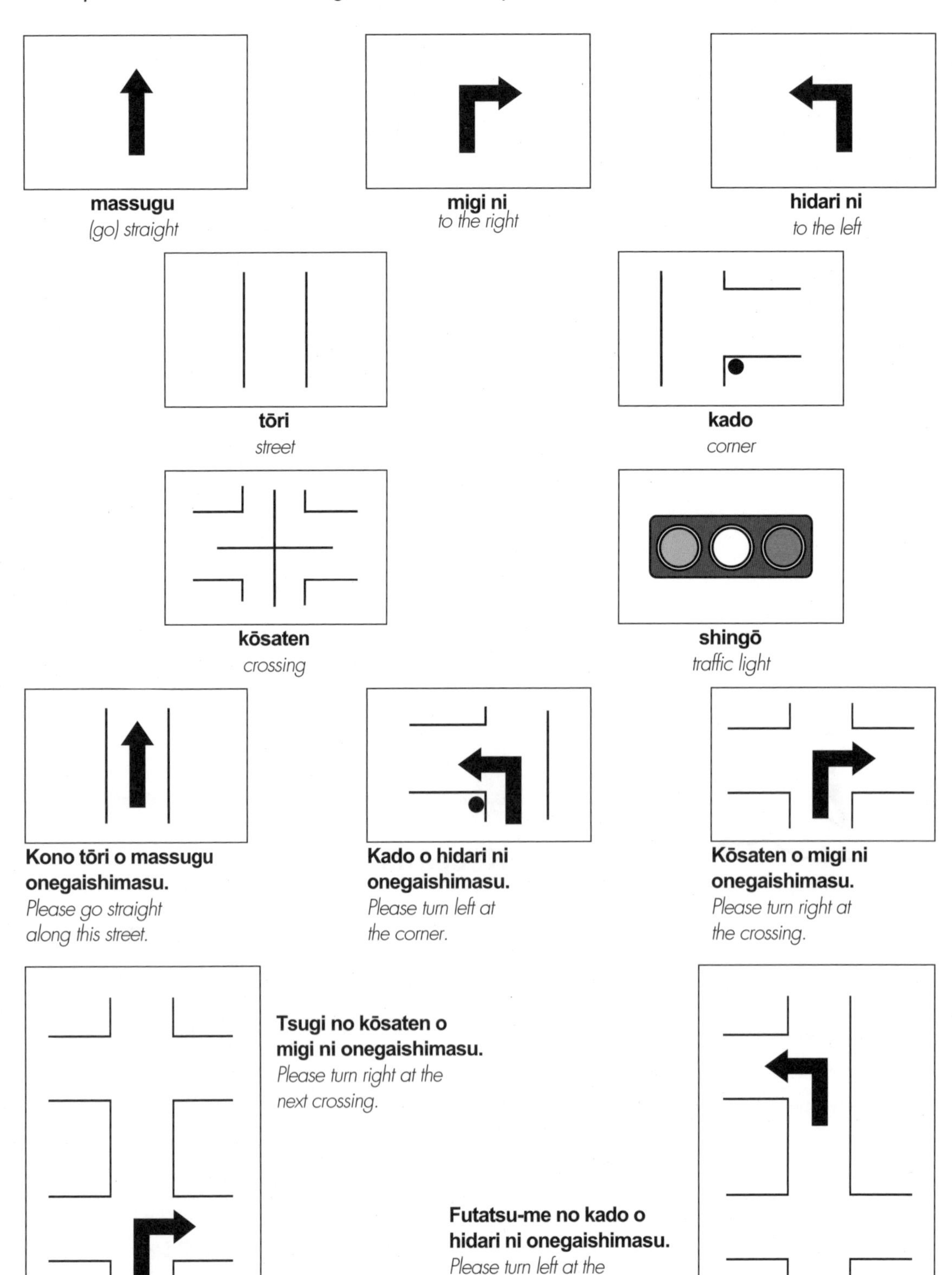

Step 2. You are at ×. Direct the taxi driver to the point ●.

ex. *You* : Kono tōri o massugu onegaishimasu.

Driver : Hai.

You : Soko de tomete kudasai.

Driver : Hai.

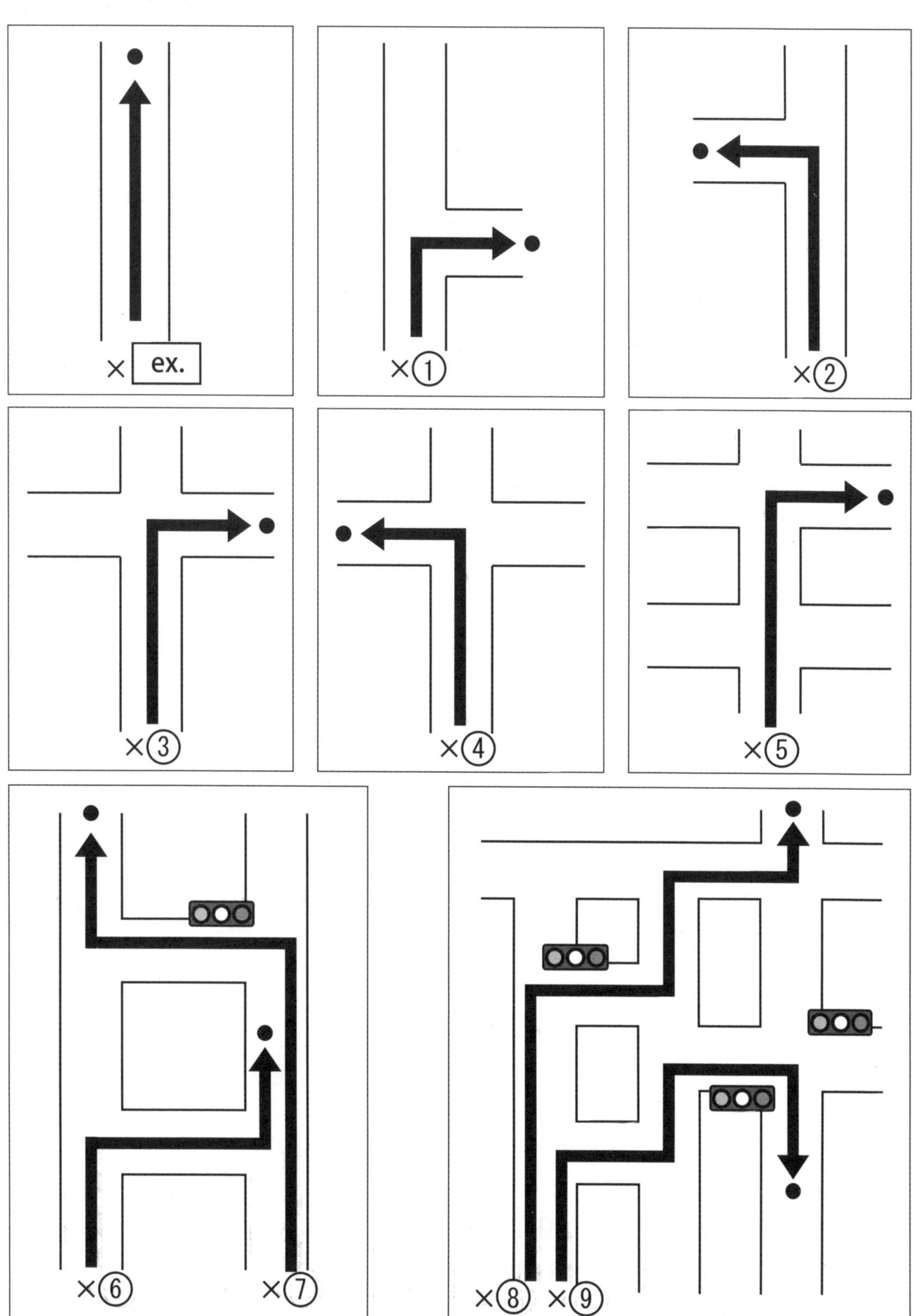

Step 3. You are taking a taxi from the taxi stand and you want to go to (a-i). Direct the taxi driver to the desired destination.

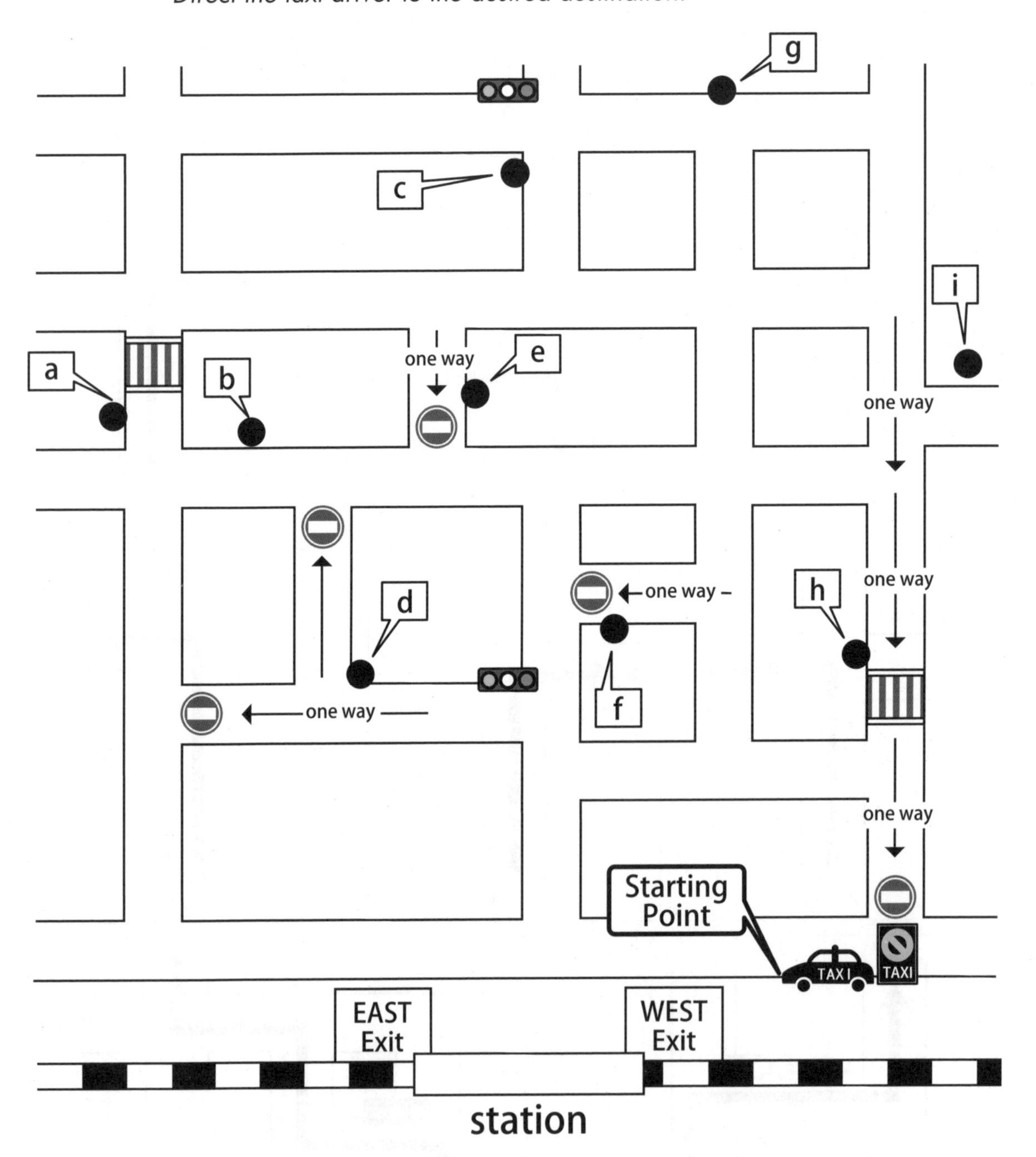

2. Try actually giving directions.

(1) *Draw a map of your own neighborhood.*

(2) *Practice giving directions between your home and various points.*

Additional Words & Expressions

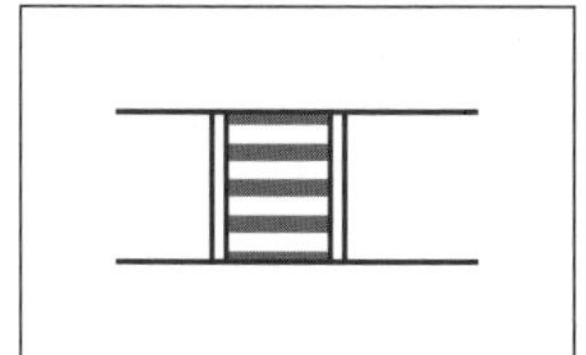

ōdanhodō
pedestrian crossing

tsukiatari
the end (of a street)

ginkō
bank

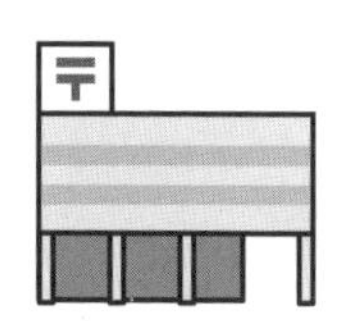

yūbinkyoku
post office

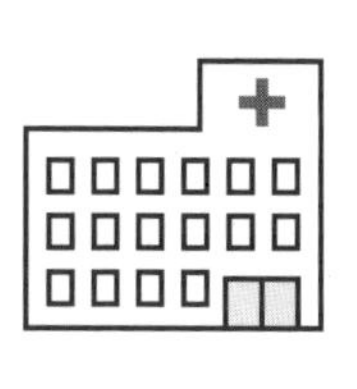

byōin
hospital

gakkō
school

hoteru
hotel

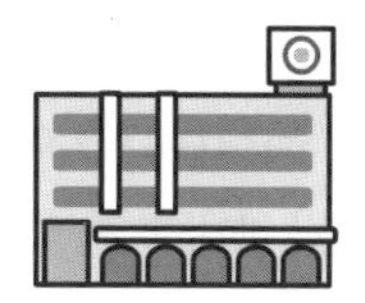

depāto
department store

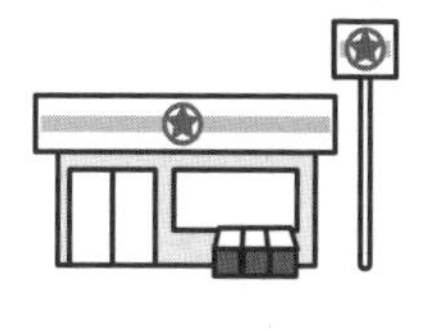

konbini
convenience store

kōen
park

kōban
police box

takushī-noriba
taxi stand

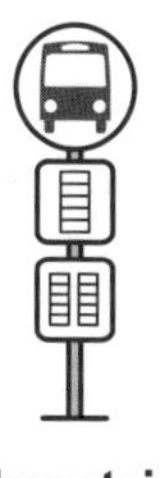

basutei
bus stop

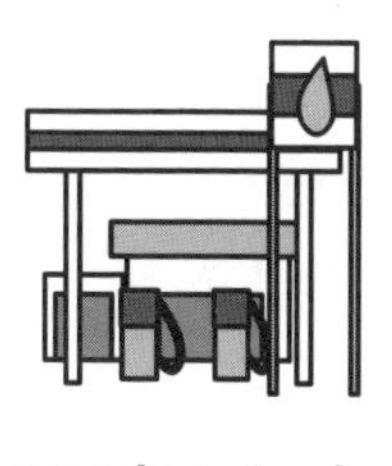

gasorin-sutando
gas station

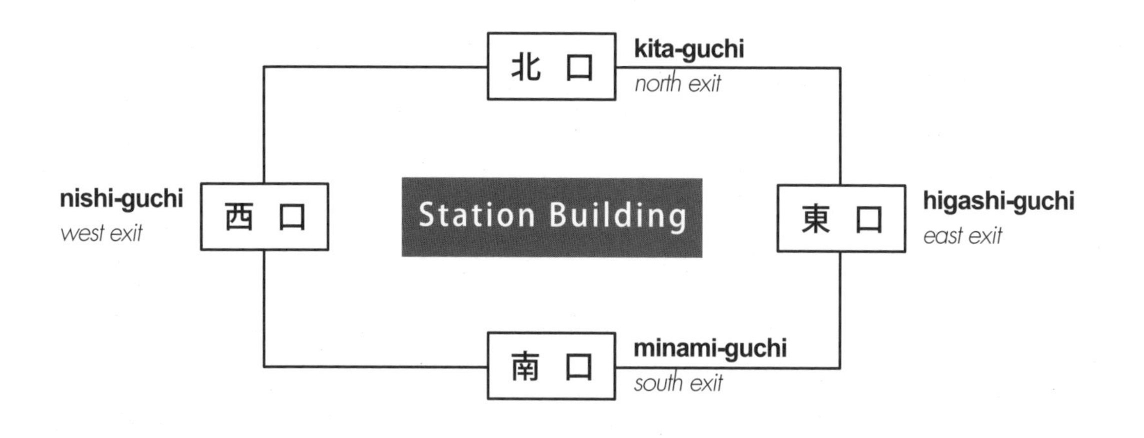

Lesson 3 Getting Fast Food

CD 14 Dialogue 1 At a Convenience Store

Shop Clerk : **Irasshaimase.**
Green : *(Putting a box lunch on the counter...)* **Onegaishimasu.**
Shop Clerk : **Hai, 735-en desu. O-bentō, atatamemasu ka?**
Green : **Hai, onegaishimasu.**
(Pays)
Shop Clerk : **Hai, sochira de omachi kudasai.**
. . .
Shop Clerk : **Omatase shimashita.**
Green : **Dōmo** *(receiving the box lunch)*.
Shop Clerk : **Arigatō gozaimashita.**

てんいん : いらっしゃいませ。
グリーン : *(Putting a box lunch on the counter...)* おねがいします。
てんいん : はい、735 えんです。　おべんとう、あたためますか。
グリーン : はい、おねがいします。
(Pays)
てんいん : はい、そちらで　おまちください。
. . .
てんいん : おまたせしました。
グリーン : どうも *(receiving the box lunch)*。
てんいん : ありがとう　ございました。

S : Hello.
G : (Putting a box lunch on the counter...) I'll take this.
S : 735 yen, please. Shall I heat it up?
G : Yes, please. (Pays)
S : Sure. Please wait there.
. . .
S : Sorry to have kept you waiting.
G : Thanks (receiving the box lunch).
S : Thank you very much.

Vocabulary

o-bentō	おべんとう	*box lunch*
atatamemasu	あたためます	*to heat*
sochira	そちら	*polite expression of 'soko' (=there)*
ten'in	てんいん	*shop clerk, shop staff*

Activity

Listening to Numbers and Prices

CD 15 *Step 1. Choose the correct numbers.*

a.	91	94	98
b.	146	166	186
c.	205	505	605
d.	17	107	1,007
e.	35	305	315
f.	1,300	1,301	1,310

O-bentō at Konbini

At convenience stores (**konbini**), you can buy various box lunches (**o-bentō**), and have them heated up. You can ask them to heat it up, by saying '**Atatamete kudasai**.'

CD 16 *Step 2. Write the prices.*

a.	b.	c.
¥	¥	¥

d.	e.	f.
¥	¥	¥

CD 17 *Step 3. A cashier at a convenience store is giving prices to a customer. Choose the correct prices.*

a.	b.	c.	d.
¥108	**¥621**	**¥1,105**	**¥1,379**
¥180	**¥821**	**¥1,150**	**¥1,497**

Expressions

▽ **Irasshaimase.**	いらっしゃいませ。	*Hello. (Welcome.)*
▽ **Sochira de omachi kudasai.**	そちらで　おまちください。	*Please wait there.*
▽ **Omatase shimashita.**	おまたせしました。	*Sorry to have kept you waiting.*

CD 18 Dialogue 2

At a Coffee Shop

Shop Staff	:	**Irasshaimase.**
Green	:	**Kōhī L-saizu o onegaishimasu.**
		Sorekara, chīzu-kēki o futatsu onegaishimasu.
		Teikuauto shimasu.
Shop Staff	:	**Hai, 820-en desu.**
Green	:	**Hai** *(paying money).*
Shop Staff	:	**Sochira de omachi kudasai.**
		. . .
Shop Staff	:	**Omatase shimashita.**
Green	:	**Dōmo.**
Shop Staff	:	**Arigatō gozaimashita.**

てんいん	:	いらっしゃいませ。
グリーン	:	コーヒー　Lサイズを　おねがいします。
		それから、チーズケーキを　ふたつ　おねがいします。
		テイクアウトします。
てんいん	:	はい、820えんです。
グリーン	:	はい *(paying money)*。
てんいん	:	そちらで　おまちください。
		. . .
てんいん	:	おまたせしました。
グリーン	:	どうも。
てんいん	:	ありがとう　ございました。

S : Hello.
G : L-size coffee, please. And two cheese cakes, please. They are to go.
S : Sure. 820 yen, please.
G : Here you are (paying money).
S : Could you please wait there?
. . .
S : Sorry to have kept you waiting.
G : Thanks.
S : Thank you very much.

Vocabulary

kōhī	コーヒー	*coffee*
saizu	サイズ	*size*
sorekara	それから	*and also*
chīzu-kēki	チーズケーキ	*cheese cake*
futatsu	ふたつ	*two*
teikuauto shimasu	テイクアウトします	*It's to go. (to take out)*
aisu-kōhī	アイスコーヒー	*iced coffee*
orenji-jūsu	オレンジジュース	*orange juice*
chokorēto-kēki	チョコレートケーキ	*chocolate cake*
mittsu	みっつ	*three*
aisu-kurīmu	アイスクリーム	*ice cream*
yottsu	よっつ	*four*
hitotsu	ひとつ	*one*
kōcha	こうちゃ	*English tea*
sandoitchi	サンドイッチ	*sandwich*
kafe-moka	カフェモカ	*caffé mocha*
kapuchīno	カプチーノ	*cappuccino*
kyarameru-makiāto	キャラメルマキアート	*caramel macchiato*
kafe-rate	カフェラテ	*caffé latte*

Key Sentences

1. Kōhī L-saizu o onegaishimasu.
2. Chīzu-kēki o futatsu onegaishimasu.

Counting Word for Things

1 hitotsu
2 futatsu
3 mittsu
4 yottsu

Drills

1. **Kōhī L-saizu** o onegaishimasu.
   Aisu-kōhī M-saizu
   Orenji-jūsu S-saizu

2. **Chīzu-kēki** o **futatsu** onegaishimasu.
   Chokorēto-kēki — mittsu
   Aisu-kurīmu — yottsu

"o"
[object marker]

"For here or to go?"

Koko de. *For here.*
Teikuauto shimasu. *To go. (to take out)*
***koko:** *here*

Activity

Practice ordering.

ex. Kafe-moka L-saizu o futatsu onegaishimasu. Teikuauto shimasu.

ex. **kafe-moka** *(caffé mocha)* *L-size* — *to go*	(1) **kapuchīno** *(cappuccino)* *S-size* — *for here*	(2) **orenji-jūsu** *(orange juice)* *M-size* — *to go*
(3) **kyarameru-makiāto** *(caramel macchiato)* *L-size* — *to go*	(4) **kōcha** *(English tea)* *S-size* — *for here*	(5) **kafe-rate** *(caffé latte)* *M-size* — *to go*
(6) **sandoitchi** *(sandwich)* — *to go*	(7) **chīzu-kēki** *(cheese cake)* — *for here*	(8) **chokorēto-kēki** *(chocolate cake)* — *to go*

CD 19 Dialogue 3 Ordering Pizza by Telephone

ABC Pizza : ***ABC*** **Piza degozaimasu.**
Green : **Chūmon o onegaishimasu.**
ABC Pizza : **Hai. O-namae o onegaishimasu.**
Green : ***Green*** **desu.**
ABC Pizza : **Dewa, go-jūsho to o-denwa-bangō o onegaishimasu.**
Green : **Hai. Jūsho wa Sendagaya 3-15-7 desu.**
Denwa-bangō wa 5412-2671 desu.
ABC Pizza : **Hai. Dewa, go-chūmon o dōzo.**
Green : ***Seafood*** **M-saizu o hitotsu onegaishimasu.**
Crispy **o onegaishimasu.**
ABC Pizza : **Hai, kashikomarimashita.**

ABC ピザ : ABC ピザでございます。
グリーン : ちゅうもんを　おねがいします。
ABC ピザ : はい。 おなまえを　おねがいします。
グリーン : グリーンです。
ABC ピザ : では、ごじゅうしょと　おでんわばんごうを　おねがいします。
グリーン : はい。 じゅうしょは　せんだがや　3 － 15 － 7です。
でんわばんごうは　5412 － 2671 です。
ABC ピザ : はい。 では、ごちゅうもんを　どうぞ。
グリーン : シーフード M サイズを　ひとつ　おねがいします。
クリスピーを　おねがいします。
ABC ピザ : はい、かしこまりました。

A : This is ABC Pizza.
G : May I order, please?
A : Yes, sure. May I have your name, please?
G : My name is Green.
A : May I have your address and telephone number, please?
G : My address is 3-15-7 Sendagaya.
My phone number is 5412-2671.
A : OK. Well, may I take your order, please?
G : I'd like one M-size seafood, please.
Crispy type, please.
A : Certainly.

Vocabulary

piza	ピザ	*pizza*
degozaimasu	でございます	*polite expression of 'desu' (=be)*
chūmon	ちゅうもん	*order*
o-namae	おなまえ	*polite expression of 'namae' (=name)*
dewa	では	*then*
go-jūsho	ごじゅうしょ	*polite expression of 'jūsho' (=address)*
o-denwa-bangō	おでんわばんごう	*polite expression of 'denwa-bangō' (=telephone number)*
jūsho	じゅうしょ	*address*
Sendagaya	せんだがや	*(place name)*
go-chūmon	ごちゅうもん	*polite expression of 'chūmon' (=order)*

Key Sentence

1. Jūsho wa Sendagaya 3-15-7 desu.

How to Read Address?

3	—	15	—	7
san	**no**	**jū-go**	**no**	**nana**

*When reading lot numbers, you read hyphens as '**no**'.*

Drill

1.	Jūsho	wa	Sendagaya 3-15-7	desu.
	Denwa-bangō		5412-2671	
	Keitai		090-1111-2222	

"o / go + noun"

o / go = *honorific prefix*

ex. **namae: o-namae**
jūsho: go-jūsho
denwa-bangō: o-denwa-bangō

Activities

1. Listen to the CD and write the telephone numbers.

ex.	office	03-2689-1873
	home	045-395-2844
	mobile	090-6772-0239
a.	office	
	home	
	mobile	
b.	office	
	home	
	mobile	

Expressions

▽ **Go-chūmon o dōzo.**	ごちゅうもんを　どうぞ。	*What would you like to order, please?*
▽ **Kashikomarimashita.**	かしこまりました。	*Certainly.*

2. Ordering Pizza

Step 1. Give your name, address and telephone number.

ABC Pizza : O-namae o onegaishimasu.

You : *(Name)*

ABC Pizza : Dewa, go-jūsho to o-denwa-bangō o onegaishimasu.

You : *(Address)*

(Telephone No.)

Step 2. Choose the item, size and crust you like and then order.

ABC Pizza : Dewa, go-chūmon o dōzo.

You :

ABC Pizza : Hai, kashikomarimashita.

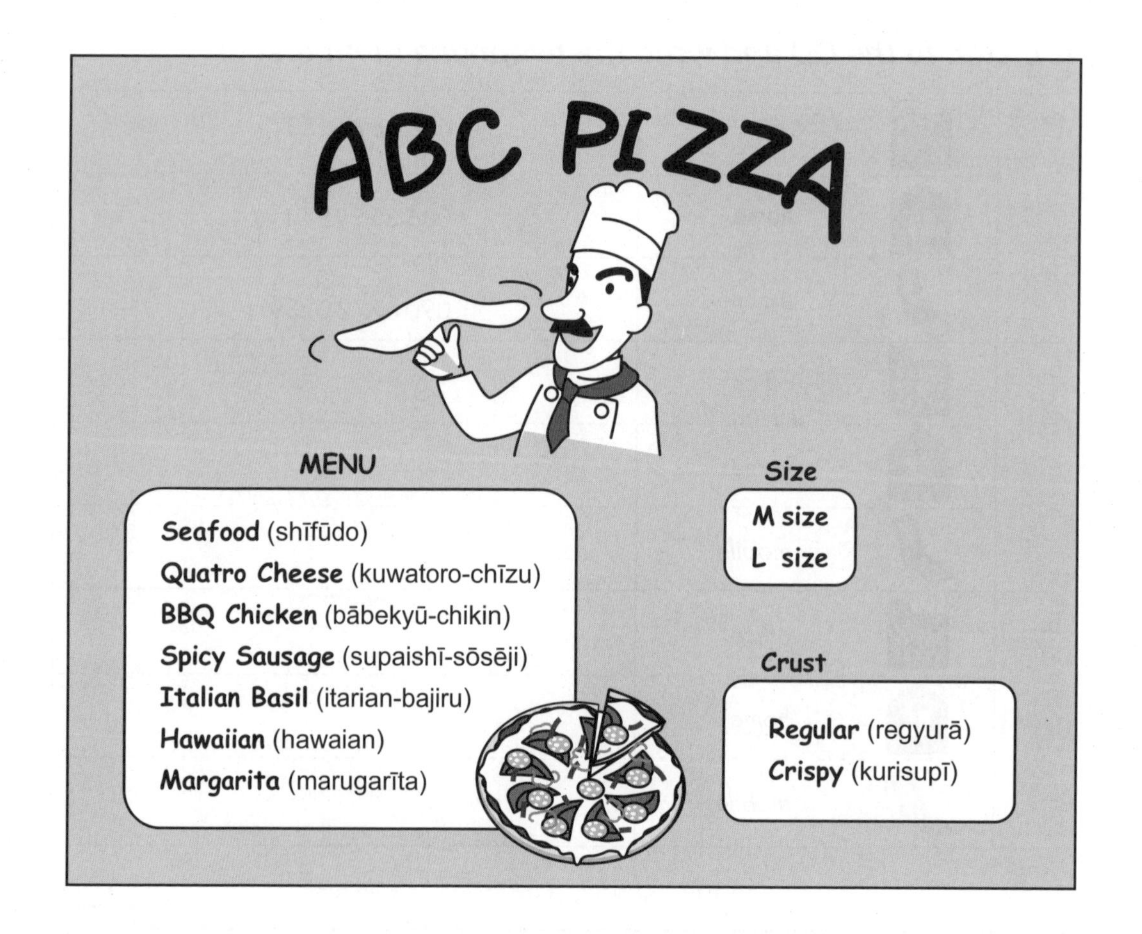

Additional Words & Expressions

What are they saying ???

★ *In a convenience store*

Fukuro ni oire shimasu ka? *Shall I put it in a bag?*
Kono mama de yoroshii desu ka? *Is it OK just like this? (no bag)*
O-hashi / Supūn / Fōku o otsuke shimasu ka?
Shall I put chopsticks / a spoon /a fork with it?
1,000-en oazukari shimasu. *Out of ¥1,000.*
500-en no okaeshi desu. *¥500 is your change.*

***fukuro:** *bag*
***o-hashi:** *polite expression of* **hashi** *(=chopsticks)*
***supūn:** *spoon*
***fōku:** *fork*

★ *In a coffee shop / a fast food restaurant*

Go-chūmon, okimari deshitara dōzo. *Are you ready to order?*
Kochira de omeshiagari desu ka ? *Is it for here? (lit. Are you eating in?)*
Omochikaeri desu ka ? *Is it to go? (lit. Are you taking it out?)*
Go-yukkuri dōzo. *Please make yourself at home.*
Mata okoshi kudasaimase. *Thank you and come again!*

★ *Ordering pizza by telephone*

Go-chūmon desu ka? *Would you like to order?*
Go-chūmon, ijō de yoroshii desu ka? *Is that all you want to order?*

Grammar Notes

1. N [thing] + o + [quantity] + onegaishimasu.

▶Remember this word order.

N [thing] + o + [quantity] + onegaishimasu.
ex. **Chīzu-kēki o futatsu onegaishimasu.** *Two cheese cakes, please.*

▶Expressing quantity
To express quantity, two ways can be used.

① **hitotsu, futatsu, mittsu** system
These are used to count things up to ten. Eleven or more things are counted by using the numbers themselves.

② **ichi, ni, san** system + counting word
-mai for thin, flat things (paper, dishes, shirts, CDs) (→ Lesson 6)
-nin for people, except for **hitori** and **futari** (→ Lesson 4)

		-nin	**-mai**
1	**hitotsu**	**hitori**	**ichi-mai**
2	**futatsu**	**futari**	**ni-mai**
3	**mittsu**	**san-nin**	**san-mai**
4	**yottsu**	**yo-nin**	**yon-mai**
5	**itsutsu**	**go-nin**	**go-mai**
6	**muttsu**	**roku-nin**	**roku-mai**
7	**nanatsu**	**nana-nin**	**nana-mai**
8	**yattsu**	**hachi-nin**	**hachi-mai**
9	**kokonotsu**	**kyū-nin**	**kyū-mai**
10	**tō**	**jū-nin**	**jū-mai**
11	**jū ichi**	**jū ichi-nin**	**jū ichi-mai**
?	**ikutsu**	**nan-nin**	**nan-mai**

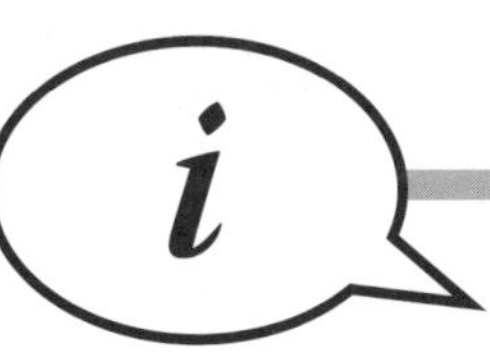

How to Give Your Address in the Japanese Way

In Japan, we say the address from large to small, from whole to individual. Therefore, you have to give the district (Tokyo, Osaka, etc.) first, then the ward (Shibuya-ku, Minato-ku, etc.), then the town (Sendagaya, Roppongi, etc.) and then the lot numbers and the house number.

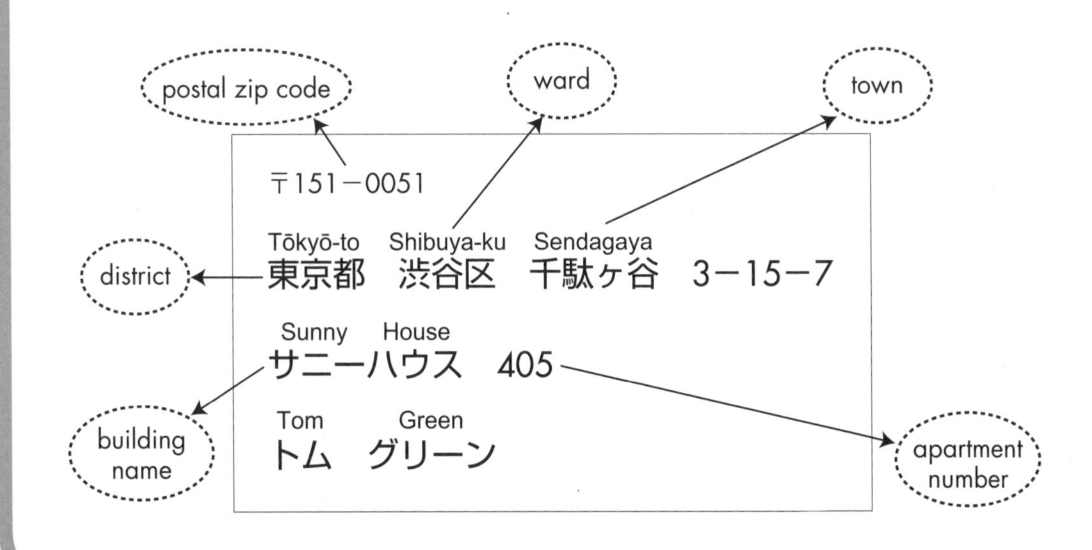

Lesson 4 Dining Out

Dialogue 1 At the Entrance of a Restaurant

—Informing the waiter of your party size and asking for a table—

Waiter : **Irasshaimase. Nan-mei sama desu ka?**

Green : **Futari desu.**

Waiter : **O-tabako wa?**

Green : **Nōsumōkingu-shīto o onegaishimasu.**

Waiter : **Hai, shōshō omachi kudasai.**

・・・

Waiter : **Omatase shimashita.**

(Showing the way) **Kochira e dōzo.**

ウェイター ： いらっしゃいませ。　なんめいさまですか。

グリーン ： ふたりです。

ウェイター ： おたばこは？

グリーン ： ノースモーキングシートを　おねがいします。

ウェイター ： はい、しょうしょう　おまちください。

・・・

ウェイター ： おまたせしました。

(Showing the way) こちらへ　どうぞ。

W : Hello. How many people?
G : Two.
W : Would you like smoking seats or non-smoking seats?
G : Non-smoking seats, please.
W : Certainly. Please wait a moment.

・・・

W : Sorry to have kept you waiting.
(Showing the way) This way, please.

Vocabulary

nan-mei sama	なんめいさま	*polite expression of 'nan-nin' (=how many people)*
futari	ふたり	*two people*
o-tabako	おたばこ	*polite expression of 'tabako' (=cigarette)*
nōsumōkingu-shīto	ノースモーキングシート	*non-smoking seat*
kochira	こちら	*this way*
ueitā	ウェイター	*waiter*
sumōkingu-shīto	スモーキングシート	*smoking seat*
o-kanjō	おかんじょう	*polite expression of 'kanjō' (=bill)*
hitori	ひとり	*one person*
san-nin	さんにん	*three people*
yo-nin	よにん	*four people*

Key Sentence

1. Nōsumōkingu-shīto o onegaishimasu.

Drill

1. Nōsumōkingu-shīto o onegaishimasu.
   Sumōkingu-shīto
   O-kanjō

Counting Word for People

1	hitori
2	futari
3	san-nin
4	yo-nin

(→ p.30 Grammar Notes)

Activity

Role-play

Waiter : Irasshaimase. Nan-mei sama desu ka?
You :
Waiter : O-tabako wa?
You :
Waiter : Kochira e dōzo.

(1)

(2)

(3)

(4)

Expressions

▽ **O-tabako wa?**	おたばこは？	*Would you like smoking seats or non-smoking seats?*
▽ **Shōshō omachi kudasai.**	しょうしょう　おまちください。	*Please wait a moment.*
▽ **Kochira e dōzo.**	こちらへ　どうぞ。	*This way, please.*

CD 23 Dialogue 2 At a Table in a Restaurant

Green	:	**Sumimasen** *(calling a waitress)*.
Waitress	:	**Hai, okimari desu ka?**
Green	:	**Kore wa karē desu ka** *(pointing at the picture on the menu)* **?**
Waitress	:	**Hai, yasai-karē desu.**
Green	:	**Kore wa nan desu ka?**
Waitress	:	**Chikin-karē desu.**
Green	:	**Sō desu ka. Karai desu ka?**
Waitress	:	**Hai.**
Green	:	**Bīfu-karē wa arimasu ka?**
Waitress	:	**Hai, kochira desu** *(pointing at the picture on the menu)*. **Oishii desu yo.**
Green	:	**Ja, bīfu-karē to bīru o onegaishimasu.**
Waitress	:	**Hai, kashikomarimashita.**

グリーン	:	すみません *(calling a waitress)*。
ウェイトレス	:	はい、おきまりですか。
グリーン	:	これは　カレーですか *(pointing at the picture on the menu)*。
ウェイトレス	:	はい、やさいカレーです。
グリーン	:	これは　なんですか。
ウェイトレス	:	チキンカレーです。
グリーン	:	そうですか。　からいですか。
ウェイトレス	:	はい。
グリーン	:	ビーフカレーは　ありますか。
ウェイトレス	:	はい、こちらです *(pointing at the picture on the menu)*。　おいしいですよ。
グリーン	:	じゃ、ビーフカレーと　ビールを　おねがいします。
ウェイトレス	:	はい、かしこまりました。

G : Excuse me (calling a waitress).
W : Yes, are you ready to order?
G : Is this curry (pointing at the picture on the menu)?
W : Yes, it's vegetable curry.
G : What's this?
W : It's chicken curry.
G : I see. Is it hot?
W : Yes.
G : Do you have beef curry?
W : Yes, here it is (pointing at the picture on the menu). It's very good.
G : Then, I'd like one beef curry and one beer, please.
W : Very well.

Vocabulary

kore	これ	*this*
karē	カレー	*curry*
yasai-karē	やさいカレー	*vegetable curry*
nan	なん	*what*
chikin-karē	チキンカレー	*chicken curry*
karai	からい	*hot, spicy*
bīfu-karē	ビーフカレー	*beef curry*
arimasu	あります	*to have*
kochira	こちら	*polite expression of 'kore'(=this)*
oishii	おいしい	*delicious*
yo	よ	*(particle), [sentence ending particle]*
bīru	ビール	*beer*
ueitoresu	ウェイトレス	*waitress*
pasuta	パスタ	*pasta*
amai	あまい	*sweet*

Key Sentences

1. Kore wa karē desu ka?
2. Bīfu-karē wa arimasu ka?
3. (Kore wa) karai desu ka?

"yo" *[sentence ending particle]*
used to show the speaker's strong conviction or assertion about something

Drills

1. Kore wa **karē** desu ka?
   chokorēto-kēki
   nan

"nan"
= what

2. **Bīfu-karē** wa arimasu ka?
   Sandoitchi
   Pasuta

3. (Kore wa) **karai** desu ka?
   amai
   oishii

Adjectives:
karai = *hot*
amai = *sweet*
oishii = *delicious*

Activity

Role-play

You : Sumimasen. *What's this?*
Waitress : (a) desu.
You : Sō desu ka.
Do you have (b)?
Waitress : Hai.
You : *Then, I'd like (a) and (b), please.*

(1) (a) *chicken curry* (b) *orange juice*

(2) (a) *cheese cake* (b) *iced coffee*

(3) (a) *vegetable curry* (b) *(your favorite drink)*

Expressions

▽ **Okimari desu ka?** おきまりですか。 *Are you ready to order? / Have you decided?*
▽ **Sō desu ka.** そうですか。 *I see.*

Additional Words & Expressions

Snack		***Salad and Soup***	
 **hanbāgā** *humberger*	 **sandoitchi** *sandwich*	 **sarada** *salad*	 **sūpu** *soup*
Meal			
 **udon** *udon, noodles made from wheat flour*	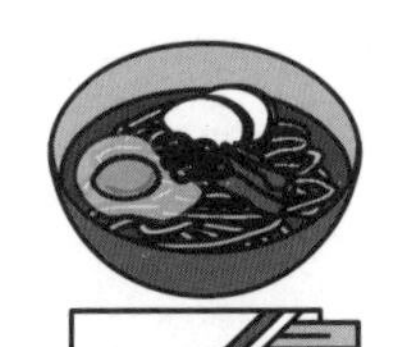 **soba** *soba, buckwheat noodles*	 **rāmen** *Chinese noodles in soup*	 **tenpura-teishoku** *set menu with tempura*
 **tonkatsu-teishoku** *set meal with a deep-fried pork cutlet*	 **yakiniku-teishoku** *set meal with (Korean-style) grilled meat*	 **okonomiyaki** *okonomiyaki*	 **sushi** *sushi*
Drink			
 **o-cha / nihon-cha** *green tea*	 **kōhī** *coffee*	 **kōcha** *English tea*	 **jūsu** *juice*
 **bīru** *beer*	 **aka-wain** *red wine*	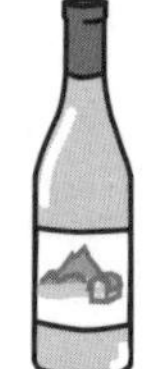 **shiro-wain** *white wine*	 **mizu** *water*

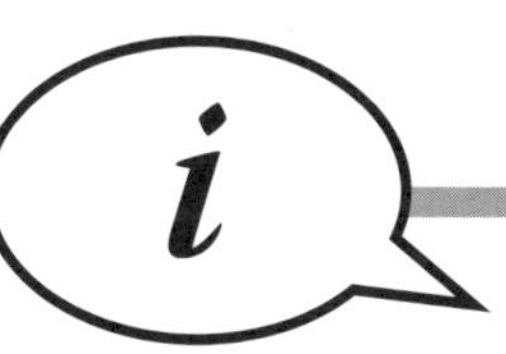

Menu in Japanese

〈お飲み物〉	**<o-nomimono>** *Drink*	**〈お食事〉**	**<o-shokuji>** *Meal*
お茶／日本茶	**o-cha / nihon-cha**	うどん	**udon**
コーヒー	**kōhī**	そば	**soba**
紅茶	**kōcha**	ラーメン	**rāmen**
ジュース	**jūsu**	天ぷら定食	**tenpura-teishoku**
ビール	**bīru**	とんかつ定食	**tonkatsu-teishoku**
赤ワイン	**aka-wain**	焼肉定食	**yakiniku-teishoku**
白ワイン	**shiro-wain**	お好み焼き	**okonomiyaki**
水	**mizu**	寿司	**sushi**
〈スナック〉	**<sunakku>** *Snack*		
ハンバーガー	**hanbāgā**	サラダ	**sarada**
サンドイッチ	**sandoitchi**	スープ	**sūpu**

When you want to avoid specific ingredients...

Is there any [something] in it?	**[something] wa haitte imasu ka?**
Can I have something without [something]?	**[something]-nashi o onegaishimasu.**

ex. *Is there any garlic in it?* **Ninniku wa haitte imasu ka?**

Can I have it without garlic? **Ninniku-nashi o onegaishimasu.**

***-nashi:** *without* ***haitte imasu:** *to be in* ***ninniku:** *garlic*

► ***For vegetarian people:***

I'm a vegetarian. **Bejitarian desu.**

Can I have something without meat or fish in it?

Niku-nashi, sakana-nashi o onegaishimasu.

***bejitarian:** *vegetarian* ***niku:** *meat* ***sakana:** *fish*

► ***For people who have an allergy:***

I'm allergic to eggs / nuts / buckwheat / milk.

Tamago / Nattsu / Soba / Gyūnyū arerugī desu.

Are there any eggs / nuts / buckwheat / milk in it?

Tamago / Nattsu / Soba / Gyūnyū wa haitte imasu ka?

***tamago:** *egg* ***nattsu:** *nuts* ***soba:** *buckwheat* ***gyūnyū:** *milk* ***arerugī:** *allergy*

Grammar Notes

1. Kore wa N desu. (N_1 wa N_2 desu.)

► **Kore** refers to an inanimate thing and works as a noun.
A sentence started with '**Kore wa...**' (Talking about **Kore**...) is concluded with '**N desu**', like '**N_1 wa N_2 desu**' which was studied in Lesson 1.
ex. **Kore wa bīfu-karē desu.** *This is beef curry.*

► Question words: question words replace the part of the sentence that covers what you want to ask about.
ex. Q: **Kore wa nan desu ka?** *What's this?*
A: **Chikin-karē desu.** *It's chicken curry.*

<adjectives> (1)

There are two kinds of adjectives: **i-adjectives** and **na-adjectives**.
Japanese adjectives are inflected (word ending change depending on how they are used). **I-adjectives** and **na-adjectives** inflect differently. (As for **na-adjectives**, see Lesson 9.)

Japanese adjectives can be used as :
(1) noun modifiers (adjective + noun)
(2) predicates (adjective + **desu**)

2. N wa i-adj. desu. predicates (adjective + **desu**)

► As a predicate, an **i-adjective** comes at the end of a sentence before **desu**.
ex. **Kono wain wa takai desu.** *This wine is expensive.*

3. i-adj. N noun modifiers (adjective + noun) (→ Lesson 5)

► As a noun modifier, an **i-adjective** comes before the noun.
ex. **Kore wa takai wain desu.** *This is an expensive wine.*

i-adjectives

	noun modifier: adjective + noun			*as predicate:* adjective + **desu**	
hot, spicy	**kara**	**i**	**+ noun**	**karai**	**desu**
delicious	**oishi**	**i**		**oishii**	**desu**
big	**ōki**	**i**		**ōkii**	**desu**
small, little	**chiisa**	**i**		**chiisai**	**desu**
expensive	**taka**	**i**		**takai**	**desu**
cheap	**yasu**	**i**		**yasui**	**desu**

4. ne / yo

► Particle **ne / yo**: Sentence ending particles
Ne is used to ask for the other person's confirmation or agreement.
Yo is used to show the speaker's strong conviction or assertion about something.

Additional Grammar

N wa ~ kunai desu.

► To make the negative form of **i-adjective**, the **i** at the end of an **i-adjective** is changed to **kunai**.

ex. kara~~i~~ desu → kara**kunai** desu — *spicy → not spicy*
oishi~~i~~ desu → oishi**kunai** desu — *delicious → not delicious*

i-adjectives

	as predicate: non-past form					
	aff.			*neg.*		
hot, spicy	**kara**	**i**	**desu**	**kara**	**kunai**	**desu**
delicious	**oishi**	**i**	**desu**	**oishi**	**kunai**	**desu**
big	**ōki**	**i**	**desu**	**ōki**	**kunai**	**desu**
small, little	**chiisa**	**i**	**desu**	**chiisa**	**kunai**	**desu**

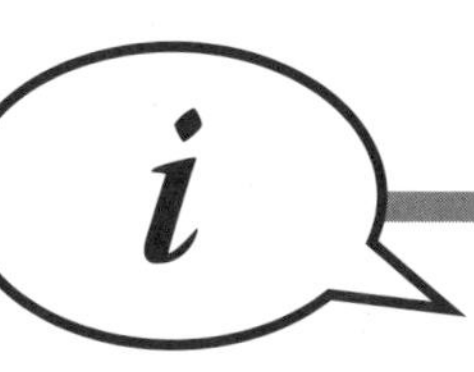

Kanji Signs Often Seen in Restaurants

eigyōchū
open for business

準備中

junbichū
in preparation

定休日

teikyūbi
regular holiday

keshōshitsu
powder room

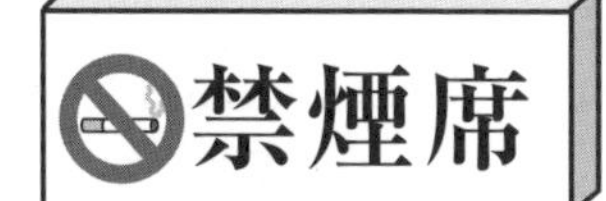

kin'en-seki
non-smoking seat

予約席

yoyaku-seki
reserved seat

Lesson 5 Shopping

CD 25 Dialogue 1 At a Wine Shop

Green : **Sumimasen. Kore wa Supein no wain desu ka?**
Shop Clerk : **Iie, Itaria no wain desu.**
Green : *(Pointing at the next bottle)* **Kore wa doko no wain desu ka?**
Shop Clerk : **Supein no wain desu. Ii wain desu yo.**
Green : **Ikura desu ka?**
Shop Clerk : **4,500-en desu.**
Green : **Ja, kore o kudasai.**
Kurejitto-kādo wa *OK* desu ka?
Shop Clerk : **Hai, *OK* desu.**

グリーン : すみません。 これは スペインの ワインですか。
てんいん : いいえ、イタリアの ワインです。
グリーン : *(Pointing at the next bottle)* これは どこの ワインですか。
てんいん : スペインの ワインです。 いい ワインですよ。
グリーン : いくらですか。
てんいん : 4,500 えんです。
グリーン : じゃ、これを ください。
クレジットカードは OK ですか。
てんいん : はい、OK です。

G : Excuse me. Is this Spanish wine?
S : No, it's Italian.
G : (Pointing at the next bottle) Where is this wine from?
S : It's Spanish. It's a good wine.
G : How much is it?
S : 4500 yen.
G : Then, this one, please.
Do you accept credit cards?
S : Yes, we do.

Vocabulary

Supein	スペイン	*Spain*
wain	ワイン	*wine*
Itaria	イタリア	*Italy*
doko	どこ	*where*
ii	いい	*good*
ikura	いくら	*how much*
ja	じゃ	*well, then*
kudasai	ください	*please give me*
kurejitto-kādo	クレジットカード	*credit card*
Furansu	フランス	*France*
chīzu	チーズ	*cheese*
Amerika	アメリカ	*U.S.A*
takai	たかい	*expensive*
yasui	やすい	*cheap*
aka-wain	あかワイン	*red wine*
shiro-wain	しろワイン	*white wine*
Nihon	にほん	*Japan*

Key Sentences

1. Kore wa Supein no wain desu ka?
2. (Kore wa) ii wain desu.
3. (Kore wa) ikura desu ka?
4. Kore o kudasai.

i-adj. N
ex. **ii wain** = *good wine*

"doko"= *where*
a question word for place

Drills

1. Kore wa [Supein] no [wain] desu ka?
   Furansu / chīzu
   Amerika / bīru
   doko / kōhī

2. Kore wa [ii] wain desu.
   takai
   yasui

3. [Kore] wa ikura desu ka?
   Aka-wain
   Shiro-wain

4. [Kore] o kudasai.
   Wain
   Furansu no wain

"ikura"= *how much*
a question word for price

"~o kudasai"
= *I'd like a/the ~*
(lit. Please give me ~)

Activities

1. Listen to the dialogues and write down the prices.

a. ¥________ b. ¥________ c. ¥________

2. Role-play

You : Sumimasen. Kore wa doko no [*(item)*] desu ka?
Shop Clerk : {(1) Furansu no chīzu / (2) Nihon no bīru} desu.
You : [*How much is it?*]
Shop Clerk : {(1) 1,200-en / (2) 350-en} desu.
You : Ja, [*this one, please.*]

Items (1) *cheese* (2) *beer*

Expressions

▲ **Kurejitto-kādo wa *OK* desu ka?** クレジットカードは OKですか。 *Do you accept credit cards?*

CD 27 Dialogue 2 At a Digital Camera Department

Green	:	**Sumimasen. Are o misete kudasai.**
Shop Clerk	:	**Hai, dōzo.**
Green	:	**Kore wa nan-mega desu ka?**
Shop Clerk	:	**10-mega desu.**
Green	:	**Sore mo 10-mega desu ka?**
Shop Clerk	:	**Iie, 12-mega desu.**
Green	:	**Ikura desu ka?**
Shop Clerk	:	**45,000-en desu.**
Green	:	**Sō desu ka. Takai desu ne. Ūn...mata kimasu.**

グリーン	:	すみません。　あれを　みせて　ください。
てんいん	:	はい、どうぞ。
グリーン	:	これは　なんメガですか。
てんいん	:	10 メガです。
グリーン	:	それも　10 メガですか。
てんいん	:	いいえ、12 メガです。
グリーン	:	いくらですか。
てんいん	:	45,000 えんです。
グリーン	:	そうですか。　たかいですね。　うーん……また　きます。

G : Excuse me. Could you show me that one over there?
S : Here you are.
G : How many megapixels is this?
S : It's 10 mega.
G : Is that also 10 mega?
S : No, it's 12 mega.
G : How much is it?
S : 45,000 yen.
G : Really? It's so expensive!
Well...(I'm afraid I don't like it so much.) I'll come back.

Vocabulary

are	あれ	*that one over there (an object far from both the speaker and the listener)*
nan-mega	なんメガ	*how many megapixels*
~mega	~メガ	*~mega (pixels)*
sore	それ	*that one (an object near to the listener)*
mo	も	*also, too, as well (particle)*
ūn	うーん	*well*
mata	また	*again*
kimasu	きます	*to come*
dejikame	デジカメ	*digital camera*

Key Sentences

1. Are o misete kudasai.
2. Sore mo 10-mega desu ka?

> **"~o misete kudasai"**
> = *Please show me ~*

Drills

1. | Are | o misete kudasai.
   Sore
   Kore

> **10,000 ichi-man**
> **man** = *ten thousand*
> ex. **45,000 yon-man go-sen**

2. | Sore | mo | 10-mega | desu ka?
   Kore — 30,000-en
   Are — dejikame

> **"mo"**
> = *also, too, as well*

> **"Ūn...mata kimasu."**
> *(lit. Well...I'll come back.)*
> *can be used when you want to leave a shop without buying anything*

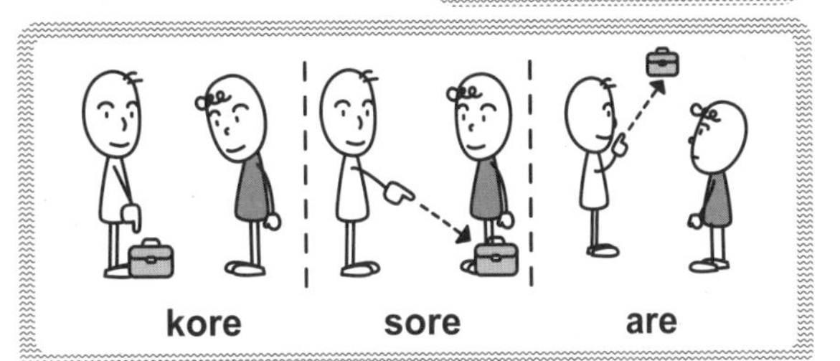

Activity

Role-play

You : Sumimasen. [　　　] *(asking to show* **【1】***)*
Shop Clerk : Hai, dōzo.
You : [　　　] ? *(asking the price of* **【1′】***)*
Shop Clerk : 42,000-en desu.
You : [　　　] ? *(asking the price of* **【2】***)*
Shop Clerk : 35,000-en desu.
You : Ja, [　　　] *(purchasing* **【2】***)*

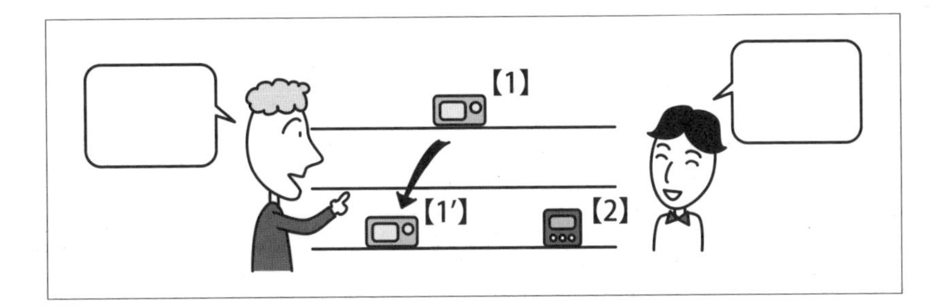

Expressions

▲ **Ūn...mata kimasu.** うーん……また　きます。 *Well... (I'm afraid I don't like it so much.) I'll come back. (lit. Well... I'll come back.)*

CD 28 Dialogue 3

At a Supermarket

Green	:	**Sumimasen. Yōguruto wa doko desu ka?**
Shop Clerk 1	:	**Achira desu.**
Green	:	**Dōmo.**
		. . .
Green	:	**Sumimasen. Teishibō no yōguruto wa dore desu ka?**
Shop Clerk 2	:	**Kore desu.**
Green	:	**Anō, ōkii no wa arimasu ka?**
Shop Clerk 2	:	**Hai, arimasu. Kochira desu.**
Green	:	**Dōmo.**

グリーン	:	すみません。　ヨーグルトは　どこですか。
てんいん 1	:	あちらです。
グリーン	:	どうも。
		. . .
グリーン	:	すみません。　ていしぼうの　ヨーグルトは　どれですか。
てんいん 2	:	これです。
グリーン	:	あのう、おおきいのは　ありますか。
てんいん 2	:	はい、あります。　こちらです。
グリーン	:	どうも。

G : Excuse me. Where can I find yogurt?
S1 : Over there.
G : Thanks.
. . .

G : Excuse me. Which one is low-fat yogurt?
S2 : This one.
G : Ah... Do you have any larger ones?
S2 : Yes, we do. Here they are.
G : Thanks.

Vocabulary

yōguruto	ヨーグルト	*yogurt*
achira	あちら	*polite expression of 'asoko' (=there, over there)*
teishibō	ていしぼう	*low-fat*
dore	どれ	*which*
anō	あのう	*ah...*
ōkii	おおきい	*big, large*
no	の	*one, thing*
shanpū	シャンプー	*shampoo*
ōganikku	オーガニック	*organic*
pan	パン	*bread*
chiisai	ちいさい	*small*
batā	バター	*butter*
orību-oiru	オリーブオイル	*olive oil*

Key Sentences

1. Yōguruto wa doko desu ka?
2. Teishibō no yōguruto wa dore desu ka?
3. Ōkii no wa arimasu ka?

Drills

1. **Yōguruto** wa doko desu ka?
   Pasuta
   Shanpū

> **"dore"**= *which*
> *a question word for a choice*

2. **Teishibō no yōguruto** wa dore desu ka?
   Nihon no bīru
   Ōganikku no pan

3. **Ōkii** no wa arimasu ka?
   Chiisai
   Takai
   Yasui

> **"no"**= *one, thing*
> ex. **ōkii no** = *large size*
> **chiisai no** = *small size*

Lesson 5

Activity

Role-play

You : Sumimasen. *Where is (a)?*
Shop Clerk 1 : Achira desu.
You : *Thanks.*

. . .

You : Sumimasen. *Which one is (b)?*
Shop Clerk 2 : Kore desu.
You : Anō, *Do you have (c)?*
Shop Clerk 2 : Hai, arimasu. Dōzo.
You : *Thanks.*

(1) (a) *butter* (b) *low-fat butter* (c) *small size*
(2) (a) *olive oil* (b) *Italian olive oil* (c) *large size*
(3) (a) *cheese* (b) *French cheese* (c) *large size*

Additional Words & Expressions

Depāto *(Department Store)*

nan-kai? *which floor?*	
7-kai *7th floor*	**resutoran** *restaurants*
6-kai *6th floor*	**tokei** *watches, clocks* · **megane** *glasses*
5-kai *5th floor*	**kodomo-fuku** *children's clothes* · **omocha** *toys* · **bunbōgu** *stationery*
4-kai *4th floor*	**kagu** *furniture* · **shokki** *table ware*
3-kai *3rd floor*	**shinshi-fuku** *men's clothes*
2-kai *2nd floor*	**fujin-fuku** *women's clothes*
1-kkai *1st floor*	**kutsu** *shoes* · **kaban / baggu** *bags* · **akusesarī** *accessories* · **keshōhin** *cosmetics*
chika 1-kkai *1st basement*	**shokuryōhin** *food*
chika 2-kai *2nd basement*	**chūshajō** *parking*

kaidan
staircase

erebētā
elevator, lift

esukarētā
escalator

toire
toilet

Items Found in a Supermarket

Colors

white	black	red	blue	brown	green
shiro	**kuro**	**aka**	**ao**	**chairo**	**midori**

Grammar Notes

1. Question Words

A question word replaces the part of the sentence that covers what you want to ask about.

	nan *what*	**Q : Kore wa nan desu ka?** **A : Bīfu-karē desu.** *What's this?* *It's beef curry.*
¥ ?	**ikura** *how much*	**Q : Kore wa ikura desu ka?** **A : 5,000-en desu.** *How much is this?* *It's 5,000 yen.*
	doko *where*	**Q : Yōguruto wa doko desu ka?** **A : Achira desu.** *Where is the yogurt?* *It's over there.*
	dore *which*	**Q : Teishibō no yōguruto wa dore desu ka?** **A : Kore desu.** *Which one is low-fat yogurt?* *This one.*

▶Omission of topic (**N1**)
When it is obvious both to the speaker and the listener what they are talking about, the topic (+ topic marker) is generally omitted.

ex. Q: **(Kore wa) ikura desu ka?** *How much is this?*
A: **(Kore wa) 4,500-en desu.** *It's 4,500 yen.*

2. N mo

▶Particle **mo:** 'too', 'also', 'either'
ex. **Sore mo 10-mega desu.** *It's also 10 megapixels.*

3. kore / sore / are

▶These are demonstratives and work as nouns. They are used as follows:

kore : an object near the speaker
sore : an object near the listener
are : an object far from both the speaker and the listener

ex. Q: **Are wa Itaria no wain desu ka.** *Is that one over there Italian wine?*
A: **Iie, Supein no wain desu.** *No, it's Spanish wine.*
Q: **Sore mo Supein no wain desu ka.** *Is that also Spanish wine?*
A: **Iie, kore wa Furansu no wain desu.** *No, this is French wine.*

4. Sō desu ka.

▶An expression used to show acknowledgement of new information received

ex. A: **12-mega desu.** *It's 12 mega.*
B: **Sō desu ka.** *I see.*

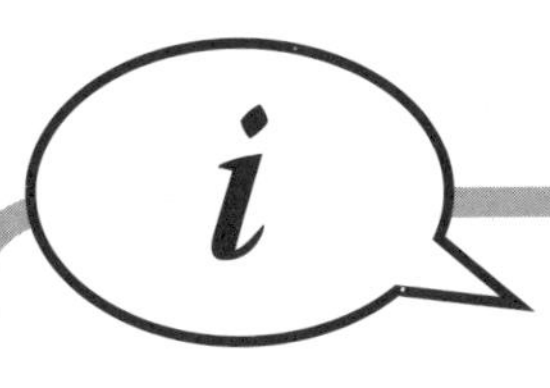

Exchanging Gifts

"O-kaeshi" *(reciprocal giving)*

O-kaeshi is an important part of gift exchanging customs in Japan. The Japanese express appreciation for gifts they have received by giving a gift in return. If you are given a return gift, do not worry that your goodwill has been rejected. This is not the case.

"O-chūgen" *and* "O-seibo"

There are two gift-giving seasons in Japan when people show their appreciation to those who have helped them in some way. **O-chūgen** is at the beginning of July and **o-seibo** is at the beginning of December.

Monetary Gifts

People invited to a wedding reception usually bring money placed in a special envelope called a **noshi-bukuro**, which has a red and white or gold tie. However, some people do send wedding presents. "Registering for gifts" at a department store is not common in Japan.
Money is also given on sorrowful occasions. Money presented to the bereaved is called **kōden** and is placed in a envelope with a black and white or silver tie.

wedding

funeral

Lesson 6 Asking about Time

CD 29 Dialogue 1 At a Station Ticket Office

Green	:	**Sumimasen. Shin-Ōsaka ni ikimasu.**
		Tsugi no shinkansen wa nan-ji desu ka?
Station Staff	:	**3-ji desu.**
Green	:	**Sō desu ka... Sono tsugi wa nan-ji desu ka?**
Station Staff	:	**3-ji 15-fun desu.**
Green	:	**Ja, sore o 1-mai onegaishimasu.**

グリーン	:	すみません。　しんおおさかに　いきます。
		つぎの　しんかんせんは　なんじですか。
えきいん	:	３じです。
グリーン	:	そうですか……その　つぎは　なんじですか。
えきいん	:	３じ　15ふんです。
グリーン	:	じゃ、それを　１まい　おねがいします。

G : Excuse me. I'm going to Shin-Osaka.
What time is the next Shinkansen?
S : 3:00.
G : I see... What time is the train after the next one?
S : 3:15.
G : Then, one ticket for that train, please.

Vocabulary

Shin-Ōsaka	しんおおさか	*(station name)*
ikimasu	いきます	*to go*
shinkansen	しんかんせん	*bullet train*
nan-ji	なんじ	*what time*
3-ji	３じ	*three o'clock*
～ji	～じ	*～o'clock*
sono tsugi	その　つぎ	*after the next one (one at 3:00)*
15-fun	15ふん	*fifteen minutes*
～fun (pun)	～ふん（ぷん）	*～minute(s)*
～mai	～まい	*(counting word for thin and flat things)*
eki-in	えきいん	*station staff*
densha	でんしゃ	*train*
basu	バス	*bus*
han	はん	*half past～*
Nagoya	なごや	*(place name)*
Kyōto	きょうと	*(place name)*

Key Sentence

1. Tsugi no shinkansen wa nan-ji desu ka?

"(place) ni ikimasu"
= to go to (place)

Drill

1. Tsugi no shinkansen | wa nan-ji desu ka?
   Tsugi no densha
   Tsugi no basu

"nan-ji"
= what time

Activities

1. Learning How to Express Time (o'clock)

1:00 **ichi-ji**	2:00 **ni-ji**	3:00 **san-ji**	4:00 **yo-ji**	5:00 **go-ji**
6:00 **roku-ji**	7:00 **shichi-ji**	8:00 **hachi-ji**	9:00 **ku-ji**	10:00 **jū-ji**
11:00 **jū ichi-ji**	12:00 **jū ni-ji**	? **nan-ji**		

2. Learning How to Express Time (minutes)

00:05	**go-fun**	00:10	**juppun**
00:15	**jū go-fun**	00:20	**ni-juppun**
00:25	**ni-jū go-fun**	00:30	**san-juppun**
00:35	**san-jū go-fun**	00:40	**yon-juppun**
00:45	**yon-jū go-fun**	00:50	**go-juppun**
00:55	**go-jū go-fun**	?	**nan-pun**

"han" = *half*
ex. **4-ji han** = *half past four*

Lesson 6

3. Write down the departure time of the next train.

ex. **10:10** (1) ________ (2) ________ (3) ________

4. Role-play

You : Sumimasen.
I'm going to (a). What time is the next train?
Station Staff : 5-ji han desu.
You : Ja, *(b) ticket(s) for that train, please.*

(1) (a) Nagoya (b) 2

(2) (a) Kyōto (b) 3

(3) (a) Narita-kūkō (b) 1

CD 31 Dialogue 2 At a Laundry

Green	:	**Sumimasen. Onegaishimasu** *(holding out the laundry)*. **Itsu dekimasu ka?**
Shop Clerk	:	**Ashita dekimasu.**
Green	:	**Sō desu ka. Ashita wa nan-ji kara desu ka?**
Shop Clerk	:	**10-ji kara desu.**
Green	:	**Nan-ji made desu ka?**
Shop Clerk	:	**Gogo 8-ji made desu.**
Green	:	**Sō desu ka. Ja, ashita no yoru kimasu.**

グリーン	:	すみません。 おねがいします *(holding out the laundry)*。 いつ できますか。
てんいん	:	あした できます。
グリーン	:	そうですか。 あしたは なんじからですか。
てんいん	:	10じからです。
グリーン	:	なんじまでですか。
てんいん	:	ごご 8じまでです。
グリーン	:	そうですか。 じゃ、あしたの よる きます。

G : Excuse me. Dry-cleaning, please (holding out the laundry). When will it be ready?
S : It'll be ready tomorrow.
G : I see. Well...what time do you open tomorrow?
S : At 10:00.
G : What time do you close?
S : At 8:00 pm.
G : I see. Then, I'll come tomorrow evening.

Vocabulary

itsu	いつ	*when*
dekimasu	できます	*to be done*
ashita	あした	*tomorrow*
kara	から	*from (particle)*
made	まで	*until (particle)*
gogo	ごご	*pm*
yoru	よる	*evening, night*
kurīningu-ya	クリーニングや	*laundry*
depāto	デパート	*department store*
dinā	ディナー	*dinner*
sūpā	スーパー	*supermarket*
ranchi	ランチ	*lunch (time)*

Key Sentences

1. (Kurīningu-ya wa) nan-ji kara desu ka?
2. (Kurīningu-ya wa) nan-ji made desu ka?

"itsu" = *when*
a question word for time

Drills

1. Kurīningu-ya wa nan-ji kara desu ka?
   Depāto
   Dinā

"kara" = *from*
indicates time when an event starts

2. Kurīningu-ya wa nan-ji made desu ka?
   Sūpā
   Ranchi

"made" = *until*
indicates time when an event finishes

am? pm?
am = **gozen** / *pm* = **gogo**
Gozen *and* **gogo** *are placed before the time expression.*
ex. **gogo 8-ji** = *8:00 pm*

Activity

Ask for the opening or closing times.

ex. *J-Restaurant* **10:30 ~ ?** Q: J-Resutoran wa nan-ji made desu ka?

(1) *Lunch Time* **? ~ 14:00** Q: ______________________ ?

(2) *ABC Pizza* **11:00 ~ ?** Q: ______________________ ?

(3) *Supermarket* **? ~ 23:00** Q: ______________________ ?

(4) *Department Store* **10:00 ~ ?** Q: ______________________ ?

Expressions

▲ **Itsu dekimasu ka?** いつ　できますか。 *When will it be ready?*

CD 32 Dialogue 3 At a Sports Club Reception

Green	:	**Sumimasen. Koko wa nan-ji kara nan-ji made desu ka?**
Receptionist	:	**Gozen 9-ji kara gogo 11-ji made desu.**
		Nichi-yōbi wa gozen 10-ji kara gogo 10-ji made desu.
Green	:	**Yasumi wa nan-yōbi desu ka?**
Receptionist	:	**Ka-yōbi desu.**
Green	:	**Yoga no kurasu wa arimasu ka?**
Receptionist	:	**Hai, getsu-yōbi to sui-yōbi desu.**
Green	:	**Nan-ji kara nan-ji made desu ka?**
Receptionist	:	**Gogo 6-ji 15-fun kara 7-ji 45-fun made desu.**

グリーン	:	すみません。 ここは なんじから なんじまでですか。
うけつけ	:	ごぜん 9じから ごご 11じまでです。
		にちようびは ごぜん 10じから ごご 10じまでです。
グリーン	:	やすみは なんようびですか。
うけつけ	:	かようびです。
グリーン	:	ヨガの クラスは ありますか。
うけつけ	:	はい、げつようびと すいようびです。
グリーン	:	なんじから なんじまでですか。
うけつけ	:	ごご 6じ 15ふんから 7じ 45ふんまでです。

G : Excuse me. What time do you open and close?
R : We're open from 9:00 am to 11:00 pm.
On Sundays, we're open from 10:00 am to 10:00 pm.
G : On what day of the week are you closed?
R : Tuesdays.

G : Do you have yoga classes?
R : Yes, on Mondays and Wednesdays.
G : What time do they start and finish?
R : From 6:15 pm to 7:45 pm.

Vocabulary

gozen	ごぜん	*am*
nichi-yōbi	にちようび	*Sunday*
yasumi	やすみ	*holiday, regular closing day*
nan-yōbi	なんようび	*what day of the week*
ka-yōbi	かようび	*Tuesday*
yoga	ヨガ	*yoga*
kurasu	クラス	*class*
getsu-yōbi	げつようび	*Monday*
sui-yōbi	すいようび	*Wednesday*
uketsuke	うけつけ	*receptionist*
jimu	ジム	*gym*
pūru	プール	*swimming pool*
earobi	エアロビ	*aerobics*

Key Sentences

1. **Koko wa nan-ji kara nan-ji made desu ka?**
2. **Yasumi wa nan-yōbi desu ka?**

Drills

1. **Koko wa nan-ji kara nan-ji made desu ka?**
   Jimu
   Pūru

2. **Yasumi wa nan-yōbi desu ka?**
   Yoga no kurasu
   Earobi no kurasu

"nan-yōbi"
= *what day of the week*

Activities

1. Asking for Business Hours and Closing Days

Step 1. Learn how to express the days of the week.

SUN	*MON*	*TUE*	*WED*	*THU*	*FRI*	*SAT*
nichi-yōbi	**getsu-yōbi**	**ka-yōbi**	**sui-yōbi**	**moku-yōbi**	**kin-yōbi**	**do-yōbi**

Step 2. Make questions as in the example.

ex.

Gym
OPEN
10:00am - 11:00pm
*Monday Closed

Q : Jimu wa nan-ji kara nan-ji made desu ka ?
A : Gozen 10-ji kara gogo 11-ji made desu.
Q : Yasumi wa nan-yōbi desu ka ?
A : Getsu-yōbi desu.

(1)

Swimming Pool
OPEN
9:00am - 8:00pm
*Thursday Closed

Q : __________ ?
A : Gozen 9-ji kara gogo 8-ji made desu.
Q : __________ ?
A : Moku-yōbi desu.

(2)

J-Restaurant
OPEN
11:00 - 22:00
*Tuesday Closed

Q : __________ ?
A : Gozen 11-ji kara gogo 10-ji made desu.
Q : __________ ?
A : Ka-yōbi desu.

2. Describing Schedules

Step 1. Learn the following words.

Step 2. Describe the following schedule.

ex. Kaigi wa 10-ji kara 11-ji made desu.

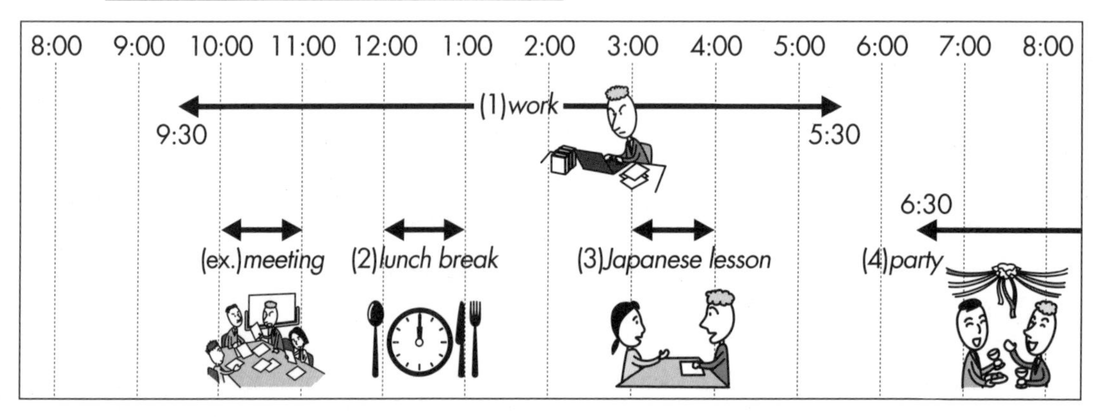

Additional Words & Expressions

Time Expressions

day	*yesterday* **kinō**	*today* **kyō**	*tomorrow* **ashita**	*everyday* **mainichi**
week	*last week* **senshū**	*this week* **konshū**	*next week* **raishū**	*everyweek* **maishū**

Asa, Yoru *(Morning, Evening)*

		yesterday	*today*	*tomorrow*	*everyday*
morning	**asa**	**kinō no asa**	**kesa**	**ashita no asa**	**maiasa**
evening	**yoru / ban**	**kinō no yoru / ban**	**konban**	**ashita no yoru / ban**	**maiban**

Vocabulary

shigoto	しごと	*work*
kaigi	かいぎ	*meeting*
hiru-yasumi	ひるやすみ	*lunch break*
Nihon-go	にほんご	*Japanese language*
ressun	レッスン	*lesson*
pātī	パーティー	*party*

Grammar Notes

1. ~ ji ~ fun/pun

▶ To express time, the counters **ji** *('o'clock')* and **fun/pun** *('minute')* are used after the numbers.

ex. **3-ji 15-fun** *3:15* **10-ji 40-pun** *10:40*

▶ **han:** *'half'*

ex. **4-ji han** *half past four*

▶ **gozen** *('am')* and **gogo** *('pm')* are prefixed to digits indicating time.

ex. **gozen 11-ji** *11:00 am* **gogo 3-ji** *3:00 pm*

▶ **nan-ji:** *'what time?'*

ex. **Ima nan-ji desu ka?** *What time is it now?* ***ima :** *now*

2. N_1 kara N_2 made

▶ **kara :** *'from'* (indicates the time or place from which a certain event starts)
made: *'to', 'until'* (indicates the time or place at which certain event finishes)

ex. **1-ji kara 5-ji made** *from 1:00 to 5:00*
Tōkyō kara Kyōto made *from Tokyo to Kyoto* (→ Lesson 7)

These particles are put after words and are not always used together.

ex. **Resutoran wa 11-ji kara desu.** *The restaurant opens at 11:00.*
Depāto wa 8-ji made desu. *The department store closes at 8:00.*

3. N wa ~ yōbi desu. (N_1 wa N_2 desu.)

ex. **Yasumi wa moku-yōbi desu.** *They're closed on Thursday.*

Lesson 7 Taking Public Transportation

CD 33 Dialogue 1 On the Street

Green : **Sumimasen. *Roppongi Hills* ni ikimasu.**
Basutei wa doko desu ka?
Passer-by : **Asoko desu. Depāto no mae desu.**
Green : **Sō desu ka. Arigatō gozaimasu.**

グリーン : すみません。 ろっぽんぎヒルズに いきます。
バスていは どこですか。
つうこうにん : あそこです。 デパートの まえです。
グリーン : そうですか。 ありがとう ございます。

—At a Bus Stop—

Green : **Sumimasen. Kono basu wa *Roppongi Hills* ni ikimasu ka?**
Driver : **Iie, ikimasen.**
Green : **Nan-ban desu ka?**
Driver : **51-ban desu.**
Green : **51-ban desu ne? Arigatō gozaimasu.**

グリーン : すみません。 この バスは ろっぽんぎヒルズに いきますか。
うんてんしゅ : いいえ、いきません。
グリーン : なんばんですか。
うんてんしゅ : 51 ばんです。
グリーン : 51 ばんですね。 ありがとう ございます。

G : Excuse me. I'm going to Roppongi Hills.
Could you tell me where the bus stop is?
P : It's over there. In front of the department store.
G : I see. Thank you very much.

—At a Bus Stop—
G : Excuse me. Does this bus go to Roppongi Hills?
D : No, it doesn't.
G : Which number does?
D : No. 51.
G : No. 51, right? Thank you very much.

Vocabulary

Roppongi Hills	ろっぽんぎヒルズ	*(place name)*
basutei	バスてい	*bus stop*
asoko	あそこ	*over there*
mae	まえ	*front*
nan-ban	なんばん	*what number*
51-ban	51 ばん	*No. 51*
~ban	~ばん	*No. ~*
tsūkōnin	つうこうにん	*passer-by*
chikatetsu	ちかてつ	*subway*
ginkō	ぎんこう	*bank*
tonari	となり	*next door*
takushī-noriba	タクシーのりば	*taxi stand*
kōban	こうばん	*police box*
chikaku	ちかく	*vicinity*
byōin	びょういん	*hospital*
ushiro	うしろ	*behind*
konbini	コンビニ	*convenience store*
hoteru	ホテル	*hotel*
yūbinkyoku	ゆうびんきょく	*post office*
Tokyo Dome	とうきょうドーム	*(place name)*
Asakusa	あさくさ	*(place name)*

Key Sentences

1. (Watashi wa) *Roppongi Hills* ni ikimasu.
2. (Basutei wa) asoko desu.
3. (Basutei wa) depāto no mae desu.
4. Kono basu wa *Roppongi Hills* ni ikimasu ka?

> **"ni"** *[direction marker]*
> *= to, towards*
> *(→ Lesson 2)*

Drills

1. *Roppongi Hills* ni ikimasu.
   - Tōkyō-eki
   - Narita-kūkō

> ***Verb That Expresses "to go"***
> *go* = **ikimasu**
> *not go* = **ikimasen**

2. Basutei wa asoko desu.
   - koko
   - soko
   - doko desu ka?

3. Basutei wa depāto no mae desu.

Basutei	wa	depāto	no	mae	desu.
Chikatetsu no eki		ginkō		tonari	
Takushī-noriba		kōban		chikaku	
Byōin		eki		ushiro	
Konbini		hoteru		migi	
Yūbinkyoku		sūpā		hidari	

4. Kono basu wa *Roppongi Hills* ni ikimasu ka?
   - Tōkyō-eki
   - Narita-kūkō

Activities

1. Role-play

You : Sumimasen. Kono basu wa *(destination)* ni ikimasu ka?
Driver : Iie, ikimasen.
You : *Which number does?*
Driver : 2-ban desu.
You : *No. 2, right? Thank you very much.*

Destinations

(1) *Tokyo Dome* (2) Asakusa (3) Shibuya-eki

2. Asking about Locations

Step 1. Learn the following words.

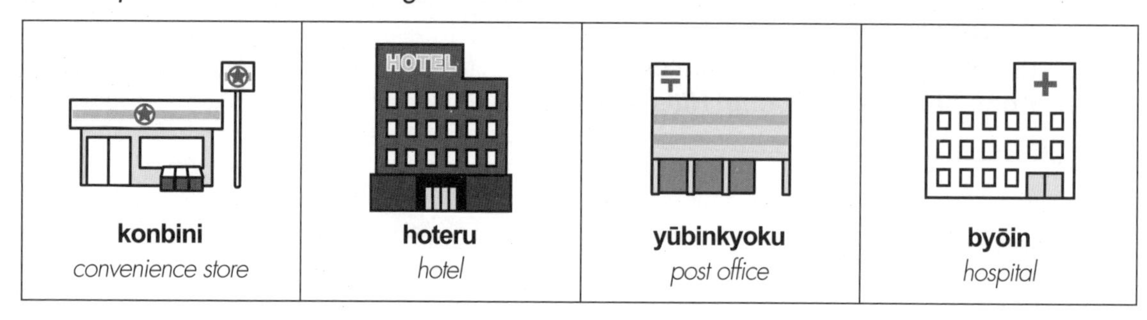

CD 34 *Step 2. Listen to the CD and write the correct numbers next to the locations listed below.*

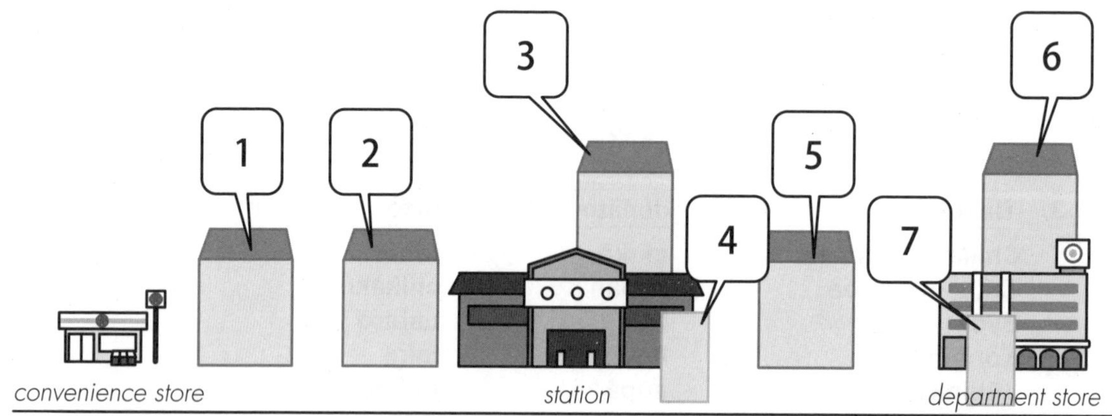

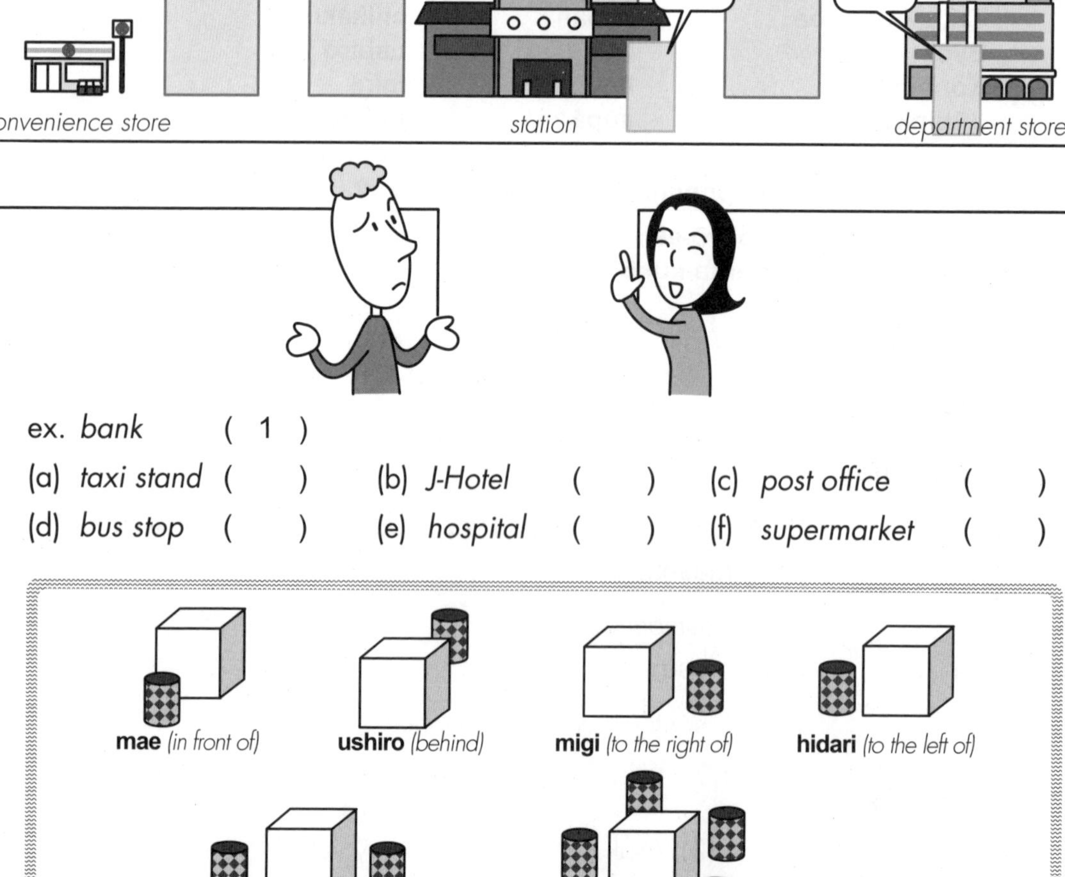

ex. *bank* (1)

(a) *taxi stand* (   ) (b) *J-Hotel* (   ) (c) *post office* (   )

(d) *bus stop* (   ) (e) *hospital* (   ) (f) *supermarket* (   )

Additional Words & Expressions

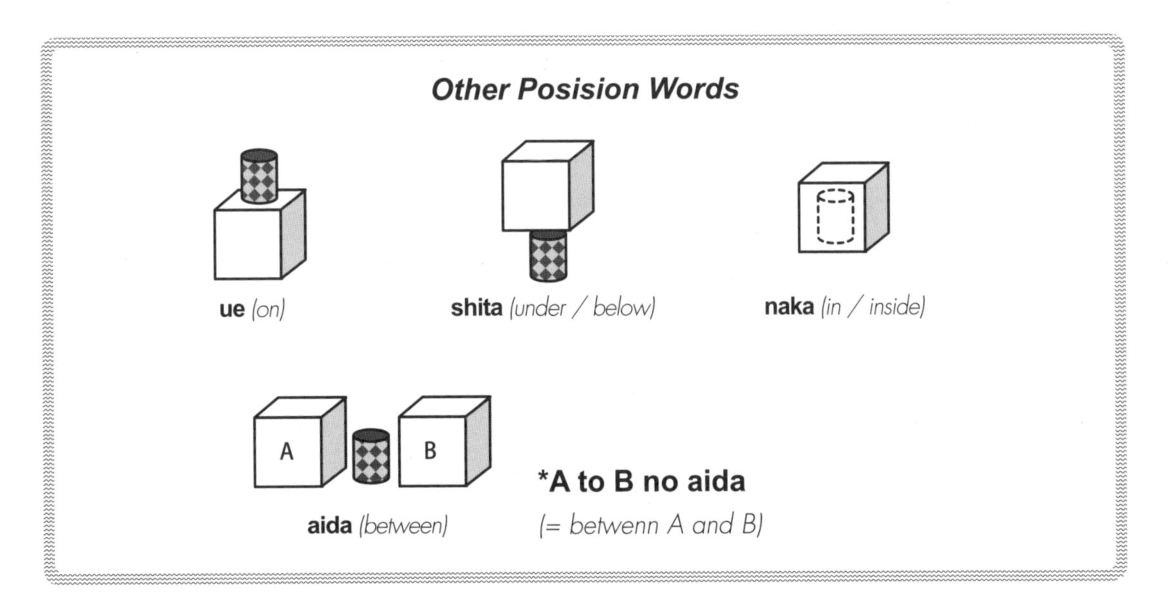

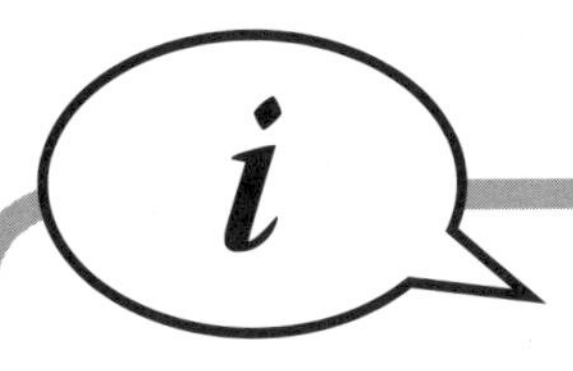

Prepaid Cards

In Tokyo, trains, subways and buses are operated by more than ten different companies with different fare systems. However, the **Suica** and **PASMO** prepaid cards can be used on all of them. By getting one of these cards, you can move around in Tokyo without having to buy a ticket for every journey.

Suica is a rechargeable prepaid IC card produced by JR East. **PASMO** is the rechargeable IC card of Tokyo's railway and subway companies other than JR, but it is valid on JR trains as well.

Suica can also be used interchangeably with other cards in various regions, such as JR West's **ICOCA** card in the Kansai region and JR Central's **TOICA**.

These cards can also be used instead of cash at an increasing number of shops, such as convenience stores, kiosks and restaurants in and around railway stations.

CD 35 Dialogue 2 At a Station

—Asking how to get to the destination—

Green	:	**Sumimasen. Asakusa ni ikitai desu.**
		Dōyatte ikimasu ka *(showing a route map)***?**
Station Staff	:	**Hibiya-sen de Ginza ni ikimasu.**
		Sorekara, Ginza-sen de Asakusa ni ikimasu.
Green	:	**Asakusa made ikura desu ka?**
Station Staff	:	**190-en desu.**
Green	:	**Sō desu ka. Arigatō gozaimasu.**

グリーン	:	すみません。　あさくさに　いきたいです。
		どうやって　いきますか *(showing a route map)*。
えきいん	:	ひびやせんで　ぎんざに　いきます。
		それから、ぎんざせんで　あさくさに　いきます。
グリーン	:	あさくさまで　いくらですか。
えきいん	:	190 えんです。
グリーン	:	そうですか。　ありがとう　ございます。

G : Excuse me. I'd like to go to Asakusa.
How can I get there (showing a route map)?
S : Go to Ginza by Hibiya Line.
Then, go to Asakusa by Ginza Line.

G : How much is it to Asakusa?
S : 190 yen.
G : OK. Thank you.

Vocabulary

dōyatte	どうやって	*how*
Hibiya-sen	ひびやせん	*Hibiya Line*
de	で	*by means of (particle)*
sorekara	それから	*and then*
Ginza-sen	ぎんざせん	*Ginza Line*
JR	JR	*JR (Japan Railways)*
Marunouchi-sen	まるのうちせん	*Marunouchi Line*
Hanzōmon-sen	はんぞうもんせん	*Hanzōmon Line*
Ōtemachi	おおてまち	*(place name)*

Key Sentences

1. (Watashi wa) Asakusa ni ikitai desu.
2. Hibiya-sen de Ginza ni ikimasu.
3. Asakusa made ikura desu ka?

"dōyatte"
= *how*

Drills

1. Asakusa ni ikitai desu.
   Roppongi Hills

2. Hibiya-sen de Ginza ni ikimasu.
   JR / Shibuya
   Shinkansen / Kyōto

3. Asakusa made ikura desu ka?
   Tōkyō-eki
   Narita-kūkō

"de" = *by means of*
a marker to show the means of transportation

"(Verb-~~masu~~)-tai desu"
= *want to do (something)*
ex. **ikitai desu** = *want to go*

Activity

Role-play

(1) *You* : Sumimasen.
I'd like to go to Roppongi. How can I get there?
Station Staff : Marunouchi-sen de Ginza ni ikimasu.
Sorekara, Hibiya-sen de Roppongi ni ikimasu.
You : *How much is it to Roppongi?*
Station Staff : 160-en desu.
You : *OK. Thank you.*

(2) *You* : Sumimasen.
I'd like to go to Ginza. How can I get there?
Station Staff : Hanzōmon-sen de Ōtemachi ni ikimasu.
Sorekara, Marunouchi-sen de Ginza ni ikimasu.
You : *How much is it to Ginza?*
Station Staff : 160-en desu.
You : *OK. Thank you.*

Expressions

▲ **ikitai desu**	いきたいです	*want to go*
▲ **Dōyatte ikimasu ka?**	どうやって　いきますか。	*How can I get there?*

CD 36 Dialogue 3 — At a Bus Terminal

Green	:	**Sumimasen. *Tokyo Tower* ni ikitai desu** *(paying money)*. **Doko de orimasu ka?**
Driver	:	***Tokyo Tower*-iriguchi desu.**
Green	:	**Donokurai kakarimasu ka?**
Driver	:	**10-pun kurai desu.**
Green	:	**Arigatō gozaimasu.**

グリーン	:	すみません。 とうきょうタワーに いきたいです *(paying money)*。 どこで おりますか。
うんてんしゅ	:	とうきょうタワーいりぐちです。
グリーン	:	どのくらい かかりますか。
うんてんしゅ	:	10ぷんくらいです。
グリーン	:	ありがとう ございます。

G : Excuse me. I'd like to go to Tokyo Tower (paying money).
Where should I get off?
D : At Tokyo Tower Iriguchi.
G : How long does it take?
D : About 10 minutes.
G : Thank you very much.

Vocabulary

Tokyo Tower	とうきょうタワー	*(place name)*
orimasu	おります	*to get off*
iriguchi	いりぐち	*entrance*
donokurai	どのくらい	*how long*
kakarimasu	かかります	*to take (time)*
~kurai	~くらい	*about ~*
Sakura-Byōin	さくらびょういん	*Sakura Hospital*

Key Sentence

1. (Koko kara *Tokyo Tower* made) donokurai kakarimasu ka?

"donokurai"
= *how long*

Drill

1. Koko kara *Tokyo Tower* made donokurai kakarimasu ka?

Koko	kara	*Tokyo Tower*	made donokurai kakarimasu ka?
Tōkyō		Kyōto	
Roppongi		Narita-kūkō	

Activity

Role-play

You : *Excuse me. I'd like to go to (destination).*
Where should I get off?

Driver : (1) *Roppongi Hills* / (2) Kūkō-iriguchi / (3) Sakura-Byōin-mae } desu.

You : *How long does it take?*

Driver : 15-fun kurai desu.

You : *Thank you very much.*

Destinations

(1) *Roppongi Hills*
(2) *J-Hotel*
(3) Sakura-Byōin

Expressions

▲ **Doko de orimasu ka?** どこで おりますか。 *Where should I get off?*

Grammar Notes

1. koko / soko / asoko

▶ **Koko**, **soko**, and **asoko** are demonstratives referring to a place.

koko : the place the speaker is located
soko : the place the listener is located
asoko : a place far from both the speaker and the listener

2. N1 wa N2 [place] desu.

ex. **Basutei wa asoko desu.** *The bus stop is over there.*

3. N1 [thing/person/place] no N2 [position] desu.

ex. **Basutei wa depāto no mae desu.** *The bus stop is in front of the department store.*

▶ **Ue** (on), **shita** (under / below), **mae** (in front of), **ushiro** (behind), **migi** (to the right of), **hidari** (to the left of), **naka** (in / inside), **tonari** (next to), **chikaku** (near) and **aida** (between) are nouns denoting positions.

4. [place] ni ikimasu / ikimasen.

▶ Verbs followed by **masu** serve as the predicate.

▶ Particle **ni**: Direction marker
ex. **Kyōto ni ikimasu.** *I'll go to Kyoto.*

▶ Negative form of **iki-masu** is **iki-masen.**

	non-past form	
	aff.	*neg.*
go	**iki-masu**	**iki-masen**

▶ Question forms for verb sentences are made in the same manner as they are for those of noun sentences. (→ Lesson 1)

ex. Q: **Kono basu wa *Roppongi Hills* ni ikimasu ka.** *Q: Does this bus go to Roppongi Hills?*

A: **Hai, (*Roppongi Hills* ni) ikimasu.** *A: Yes, it does.*
A: **Iie, (*Roppongi Hills* ni) ikimasen.** *A: No, it doesn't.*

5. [vehicle] de

▶ Particle **de**: 'by means of'
A marker to show the means of transportation
ex. Q: **Nan de** Asakusa ni **ikimasu ka?** — *How will you get to Asakusa?*
A: **Chikatetsu de** (Asakusa ni) **ikimasu**. — *I'll go (to Asakusa) by subway.*

▶ **aruite**: 'on foot' (→ Lesson 8)
ex. **Aruite** uchi ni **kaerimasu**. — *I walk home.*

6. Dōyatte: 'how'

A question word used to ask the route to get to the destination
ex. Q: **Dōyatte Asakusa ni ikimasu ka?** — *How can I get to Asakusa?*
A: **Hibiya-sen de Ginza ni ikimasu.**
Sorekara, Ginza-sen de Asakusa ni ikimasu.
Go to Ginza by Hibiya-Line. Then, go to Asakusa by Ginza-Line.

CD 37 What are they saying???

Other Expressions Often Used:

- *[place]* **de** *[train line]* **ni norimasu** — *to get on [train line] at [place]*
  ex. **Shinjuku de JR ni norimasu.** — ex. *to get on JR at Shinjuku*
- *[place]* **de** *[train line]* **ni norikaemasu** — *to change to [train line] at [place]*
  ex. **Shibuya de Ginza-sen ni norikaemasu.** — ex. *to change to Ginza-Line at Shibuya*
- *[place]* **de orimasu** — *to get off at [place]*
  ex. **Ginza de orimasu**. — ex. *to get off at Ginza*

***norimasu** : *to get on*
***norikaemasu** : *to change*

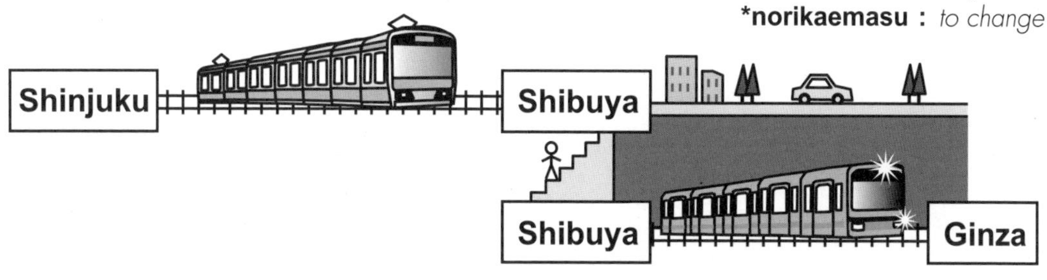

Stage 2

Ice Breaking

About Stage 2: Ice Breaking

The primary aim of 'Stage 2:Ice Breaking' is to expand on what you have learned in 'Stage 1 : Survival', to be able to use it and to be able to proactively communicate with Japanese people, such as colleagues and friends, using already learned grammar.

The primary aim of 'Stage 1' was to be able to perform the task required in survival situations and therefore, you have learned the minimum required grammar (non-past aff. of noun sentences and i-adjectives, and non-past aff. and neg. of verb sentences).

In 'Stage 2', you will learn the following grammar and be able to communicate with the people around you.

Lesson 8	Dialogue 1	:	verb (go, come, come back) (non-past aff.)
	Dialogue 2	:	verb (eat, drink, buy) (non-past aff.)
	Dialogue 3	:	verb (read, see, listen, do) (non-past aff. and neg.)
Lesson 9	Dialogue 1	:	invitation 1 (to be invited)
	Dialogue 2	:	na-adjective (non-past aff.)
	Dialogue 3	:	invitation 2 (to invite), months and dates
Lesson 10	Dialogue 1	:	verb (past aff. and neg.)
	Dialogue 2	:	i-adjective, na-adjective (past aff.) noun sentences (past aff.)

この Stage 2：Ice Breaking では、Stage 1：Survival で学習したことをさらに拡充させ、それを使って、周囲の日本人、同僚あるいは友人と積極的にコミュニケーションを図れるようになることが目標である。

Stage 1 は、Survival 場面で必要とされるタスクを達成できることが目標であったため、そこに必要とされる最低限の文法（名詞文・い形容詞の非過去肯定、動詞文の非過去 肯定・否定）のみを学習した。

Stage 2 では、これらに加えて以下の項目を学習し、これらを使って、まわりの人々とのコミュニケーションが取れるようになる。

Lesson 8	Dialogue 1	:	動詞（行く、来る、帰る）（非過去肯定）
	Dialogue 2	:	動詞（食べる、飲む、買う）（非過去肯定）
	Dialogue 3	:	動詞（読む、見る、聞く、する）（非過去肯定・否定）
Lesson 9	Dialogue 1	:	誘い 1（誘われる）
	Dialogue 2	:	な形容詞（非過去肯定）
	Dialogue 3	:	誘い 2（誘う）、月日
Lesson 10	Dialogue 1	:	動詞（過去肯定・否定）
	Dialogue 2	:	い・な形容詞（過去肯定）、名詞文（過去肯定）

Characters in the Conversations

Mr. Tom Green

American, 35 years old, a staff member of *Sunny*
Came to Japan with his wife Mary, son John and daughter Kate
Has already started taking Japanese lessons and is now able to cope with various survival situations
Is proactively trying to communicate with Japanese people around him

アメリカ人、35 歳　サニー社員
妻メアリー、息子ジョン、娘ケイトを伴って来日
日本語の学習も始め、サバイバル場面では何とか日本語が使えるようになり、周囲の日本人と積極的にコミュニケーションを取ろうと努力している

Mr. Hayashi

Japanese, 35 years old
A staff member of *Sunny*
Getting on very well with Mr. Green who is the same age
Belongs to the same sports club as Mr. Green

日本人、35 歳　サニー社員
グリーンさんと同年代で気が合う
同じスポーツクラブに入っている

Ms. Sato

Japanese, 30 years old
A staff member of *Sunny*
Mr. Hayashi's personal assistant

日本人、30 歳　サニー社員
林さんの秘書

Ms. Lee

Singaporean, 28 years old
A staff member of *Sunny*
Came to Japan nearly at the same time as Mr. Green and is also learning Japanese
A good friend of Ms. Tanaka, with whom she met through a mutual friend

シンガポール人、28 歳　サニー社員
グリーンさんと同時期に赴任してきた。日本語勉強中
友人を通して知り合った田中さんと仲がいい

Ms. Tanaka

Japanese, 29 years old
A good friend of Ms. Lee

日本人、29 歳
リーさんと仲がいい

Lesson 8 Talking about Schedules and Routines

CD 38 Dialogue 1 At the Office

Green : Hayashi-san, ashita 1-ji ni Nagoya no *J-Foods* ni ikimasu. Purojekuto-kaigi desu.
Hayashi : Sō desu ka. Dare to ikimasu ka?
Green : Yamamoto-san to ikimasu.
Hayashi : *J-Foods* wa...ā, chotto eki kara tōi desu ne. Eki kara nan de ikimasu ka?
Green : Takushī de ikimasu.
Hayashi : Kaigi wa nan-ji made desu ka?
Green : 4-ji made desu. Sono ato massugu uchi ni kaerimasu.
Hayashi : Sō desu ka.

グリーン : はやしさん、あした　１じに　なごやの　Ｊフーズに　いきます。プロジェクトかいぎです。
はやし : そうですか。　だれと　いきますか。
グリーン : やまもとさんと　いきます。
はやし : Ｊフーズは……ああ、ちょっと　えきから　とおいですね。えきから　なんで　いきますか。
グリーン : タクシーで　いきます。
はやし : かいぎは　なんじまでですか。
グリーン : ４じまでです。　そのあと　まっすぐ　うちに　かえります。
はやし : そうですか。

G : Mr. Hayashi, I'm going to J-Foods in Nagoya tomorrow at 1:00. It's a project meeting.
H : Really? Who are you going with?
G : With Mr. Yamamoto.
H : J-Foods...ah, it's a little bit far from the station. How are you getting there from the station?
G : By taxi.
H : How long will the meeting last?
G : Till 4:00. I'm going home straight after that.
H : I see.

Vocabulary

ni	に	*at, on, in (particle), [time marker]*
purojekuto-kaigi	プロジェクトかいぎ	*project meeting*
dare	だれ	*who*
to	と	*with (particle)*
Yamamoto	やまもと	*(surname)*
chotto	ちょっと	*a little bit*
tōi	とおい	*far*
sono ato	そのあと	*after that, then*
massugu	まっすぐ	*straight, directly*
kaerimasu	かえります	*to go home, to return*
Ōsaka	おおさか	*(place name)*
tomodachi	ともだち	*friend*
kazoku	かぞく	*family*
hitori de	ひとりで	*alone, by oneself*
hikōki	ひこうき	*airplane*
kuruma	くるま	*car*
jitensha	じてんしゃ	*bicycle*
aruite	あるいて	*on foot*

Key Sentences

1. 1-ji ni Nagoya no *J-Foods* ni ikimasu.
2. Dare to ikimasu ka?
3. Nan de ikimasu ka?

"dare"
= *who*

"to"
= *with*

Drills

1.

1-ji	ni	Nagoya no *J-Foods*	ni	ikimasu.	
Sui-yōbi		Kyōto			
Nan-ji	ni	resutoran	ni	ikimasu	ka?
Nan-yōbi		Ōsaka			

2.

Dare	to	ikimasu ka?
Tomodachi		
Kazoku		
Hitori de		

"hitori de"
= *alone, by yourself, on your own*
ex. **Hitori de ikimasu.**
= *I'll go there on my own.*

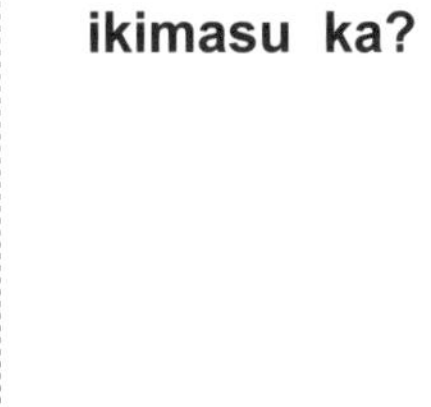

3.

Nan	de	ikimasu ka?
Takushī		
Densha		
Chikatetsu		
Hikōki		
Kuruma		
Jitensha		
Aruite		

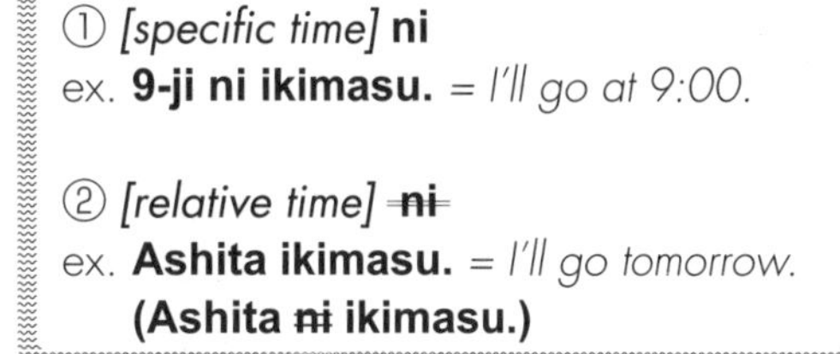

"ni" *[time marker]*
① *[specific time]* **ni**
ex. **9-ji ni ikimasu.** = *I'll go at 9:00.*

② *[relative time]* ~~**ni**~~
ex. **Ashita ikimasu.** = *I'll go tomorrow.*
(Ashita ~~ni~~ ikimasu.)

"aruite"
= *on foot*
ex. **Aruite ikimasu.**
= *I'll walk there.*

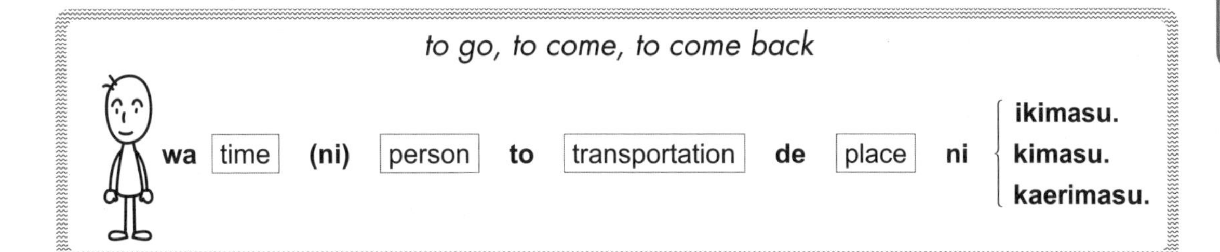

Lesson 8

Expressions

▲～ **kara tōi desu**	～から　とおいです	*far from ～*
▲ **Massugu uchi ni kaerimasu.**	まっすぐ　うちに　かえります。	*to go home directly (from)*

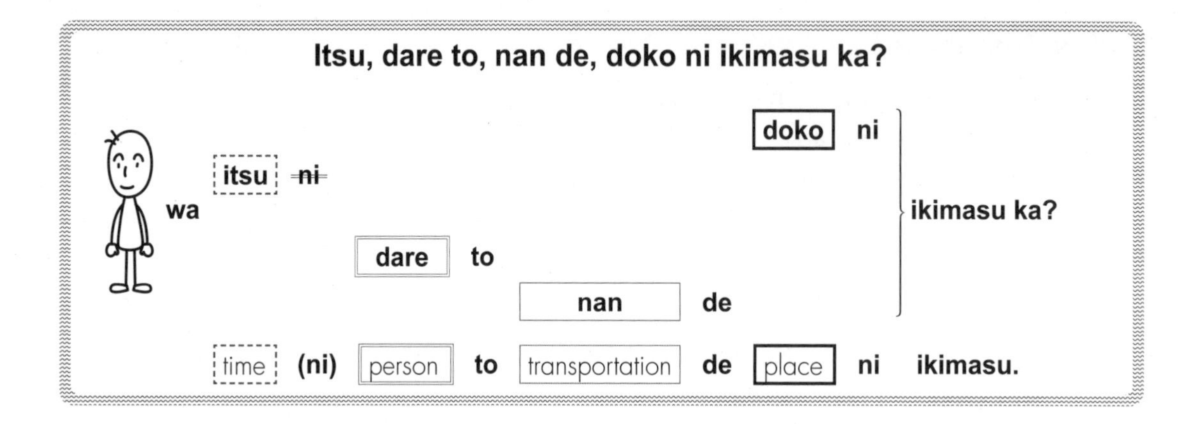

Activities

1. Make questions.

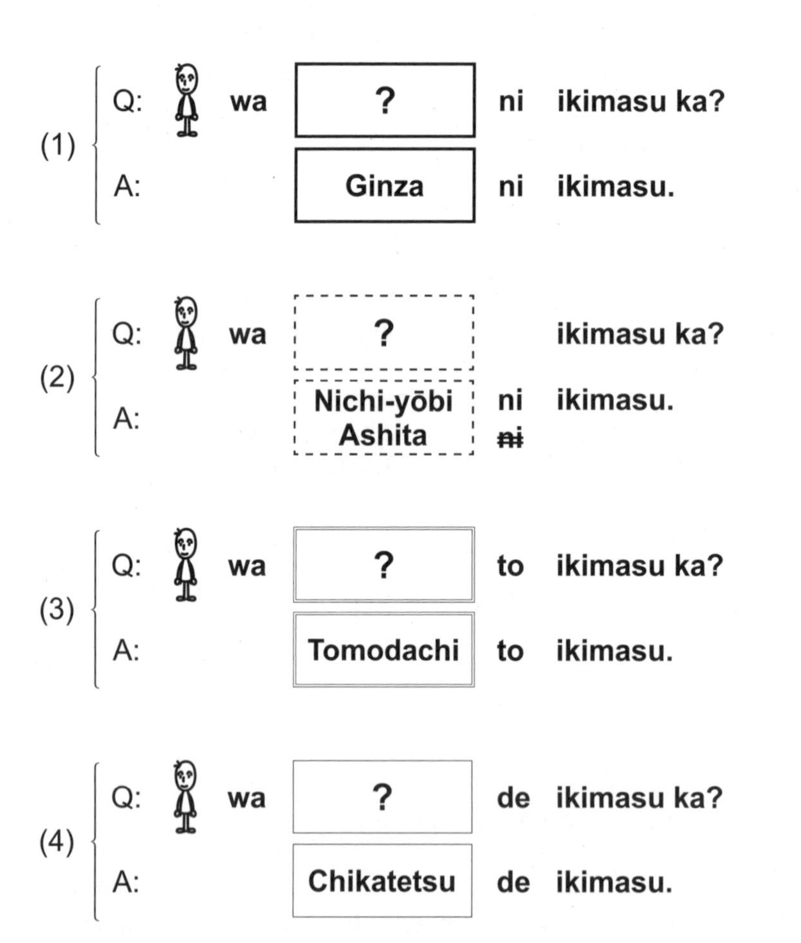

2. *Describing Mr. Green's Schedule*

Step 1. Describe Mr. Green's schedule.

ex. *Green*-san wa nichi-yōbi ni depāto ni ikimasu.

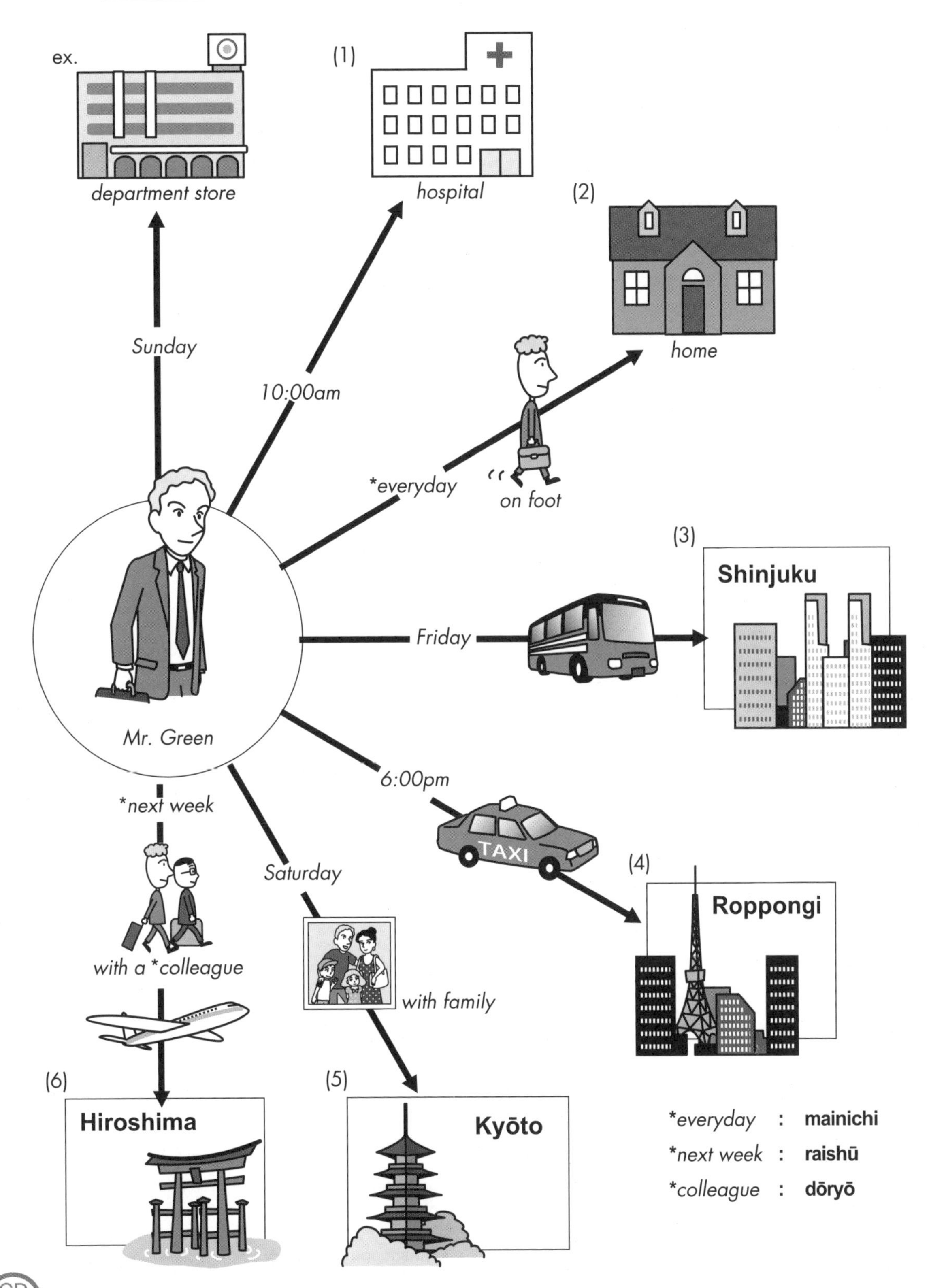

CD 39 *Step 2. Answer the questions on the CD recording.*

CD 40 Dialogue 2 During Lunchtime, in the Elevator Hall

Lee : **Satō-san, doko ni ikimasu ka?**
Satō : **Konbini ni ikimasu. O-bentō o kaimasu. *Lee*-san wa?**
Lee : **Resutoran ni ikimasu.**
Satō : **Yoku resutoran de hiru-gohan o tabemasu ka?**
Lee : **Hai. Demo, tokidoki *J-Café* de sandoitchi o tabemasu.**
Satō : **Sō desu ka.**
Watashi mo tokidoki *J-Café* de kōhī o nomimasu.
Lee : ***J-Café* no kōhī wa oishii desu ne.**
Satō : **Sō desu ne.**

リー : さとうさん、どこに　いきますか。
さとう : コンビニに　いきます。　おべんとうを　かいます。　リーさんは？
リー : レストランに　いきます。
さとう : よく　レストランで　ひるごはんを　たべますか。
リー : はい。　でも、ときどき　Ｊカフェで　サンドイッチを　たべます。
さとう : そうですか。
わたしも　ときどき　Ｊカフェで　コーヒーを　のみます。
リー : Ｊカフェの　コーヒーは　おいしいですね。
さとう : そうですね。

L : Where are you going, Ms. Sato?
S : I'm going to a convenience store.
I'll buy a box lunch there.
Where are you going, Ms. Lee?
L : I'm going to a restaurant.
S : Do you often have lunch at a restaurant?
L : Yes. But, I sometimes have a sandwich at J-Café.
S : Do you?
I sometimes drink coffee at J-Café, too.
L : J-Café's coffee is good, isn't it?
S : Yes, it sure is.

Vocabulary

kaimasu	かいます	*to buy*
yoku	よく	*often*
hiru-gohan	ひるごはん	*lunch*
tabemasu	たべます	*to eat*
demo	でも	*but*
tokidoki	ときどき	*sometimes*
J-Café	Ｊカフェ	*(coffee shop's name)*
nomimasu	のみます	*to drink*
onigiri	おにぎり	*rice ball*
o-cha	おちゃ	*green tea*
kōhī-shoppu	コーヒーショップ	*coffee shop*
aisu-tī	アイスティー	*iced tea*
kōen	こうえん	*park*

Key Sentences

1. O-bentō o kaimasu.
2. Resutoran de hiru-gohan o tabemasu.

> **"o"** *[object marker]*
> *(→ Lesson 3)*

Drills

1. O-bentō o kaimasu .

O-bentō	o	kaimasu
Onigiri		tabemasu
O-cha		nomimasu

2. Resutoran de hiru-gohan o tabemasu .

Resutoran	de	hiru-gohan	o	tabemasu
Kōhī-shoppu		aisu-tī		nomimasu
Depāto		pan		kaimasu

> **"de"** = *at*
> *shows the location where someone performs an action*
> *(→ Lesson 2)*

Activity

Describe what each person does and where he/she does it.

ex. Resutoran de wain o nomimasu.

ex.

Drink wine at a restaurant

(1)

Eat a box lunch at a park

(2)

Drink coffee at the office

(3)

Eat 'tenpura' at a restaurant

(4)

Buy 'onigiri' at a convenience store

(5)

Buy juice at a coffee shop

Expressions

▲ **Sō desu ne.** そうですね。 *I agree.*

CD 41 Dialogue 3 Friday Afternoon, at the Office

Hayashi : **Ashita wa do-yōbi desu ne. Nani o shimasu ka?**
Green : **Sō desu nē... Uchi de yukkuri shimasu. Hon o yomimasu.**
Hayashi-san wa?
Hayashi : **Nani mo shimasen. Chotto tsukaremashita.**
Demo, nichi-yōbi ni Roppongi ni ikimasu.
Raibu-hausu de jazu o kikimasu.
Green : **Sō desu ka.**
Watashi wa nichi-yōbi ni tsuma to eiga o mimasu.
Sorekara, Akihabara de shoppingu o shimasu.
Hayashi : **Sō desu ka. Nani o kaimasu ka?**
Green : **Ōkii terebi o kaimasu.**
Hayashi : **Ii desu ne.**

はやし : あしたは　どようびですね。　なにを　しますか。
グリーン : そうですねえ……うちで　ゆっくりします。　ほんを　よみます。
はやしさんは？
はやし : なにも　しません。　ちょっと　つかれました。
でも、にちようびに　ろっぽんぎに　いきます。
ライブハウスで　ジャズを　ききます。
グリーン : そうですか。　わたしは　にちようびに　つまと　えいがを　みます。
それから、あきはばらで　ショッピングを　します。
はやし : そうですか。　なにを　かいますか。
グリーン : おおきい　テレビを　かいます。
はやし : いいですね。

H : It's Saturday tomorrow, isn't it?
What are you going to do?
G : Well... I'm going to relax at home. I'm going to do some reading. What about you, Mr. Hayashi?
H : I'm not going to do anything. I'm a little tired.
But, I'm going to Roppongi on Sunday.
I'm going to listen to jazz at a club with live music.
G : Are you? I'm going to watch a film with my wife on Sunday. Then, we're going do some shopping in Akihabara.
H Really?. What are you going to buy?
G : A big TV.
H : Sounds nice.

Vocabulary

nani	なに	*what (='nan')*
shimasu	します	*to do*
yukkuri shimasu	ゆっくりします	*to relax*
hon	ほん	*book*
yomimasu	よみます	*to read*
nani mo (～masen)	なにも（～ません）	*not (to do～)anything*
raibu-hausu	ライブハウス	*club with live music*
jazu	ジャズ	*jazz*
kikimasu	ききます	*to hear, listen*
tsuma	つま	*my wife*
eiga	えいが	*film, movie*
mimasu	みます	*to watch, look, see*
Akihabara	あきはばら	*(place name)*
shoppingu	ショッピング	*shopping*
terebi	テレビ	*television*
kutsu	くつ	*shoes*
ongaku	おんがく	*music*
shinbun	しんぶん	*newspaper*
shigoto o shimasu	しごとを します	*to work*

Key Sentences

1. Nani o shimasu ka?
2. Nani mo shimasen.

> **"nani"**
> **= "nan"**
> *= what*

Drills

1. Nani o [shimasu] ka?

   tabemasu
   nomimasu
   kaimasu
   yomimasu
   mimasu
   kikimasu

2. Nani mo [shimasen] .

   tabemasen
   nomimasen
   kaimasen
   yomimasen
   mimasen
   kikimasen

> **"Nani mo V-masen."**
> *= do not* Verb *any ~ / at all*
> ex. **Nani mo shimasen.**
> *= I'm not going to do anything.*

Activities

1. Describe what each person does.

ex.
Q : Nani o shimasu ka?
A : O-bentō o tabemasu.

ex.

eat a box lunch

(1)

watch TV

(2)

buy shoes

(3)

listen to music

(4)

drink beer

(5)

read the newspaper

(6)

work

(7) **do nothing**

Expressions

▲ **Sō desu nē...**	そうですねえ……	*Well...*
▲ **Tsukaremashita.**	つかれました。	*I got tired.*
▲ **Ii desu ne.**	いいですね。	*Sounds nice.*

2. *Describing Schedules*

Step 1. Learn the following.

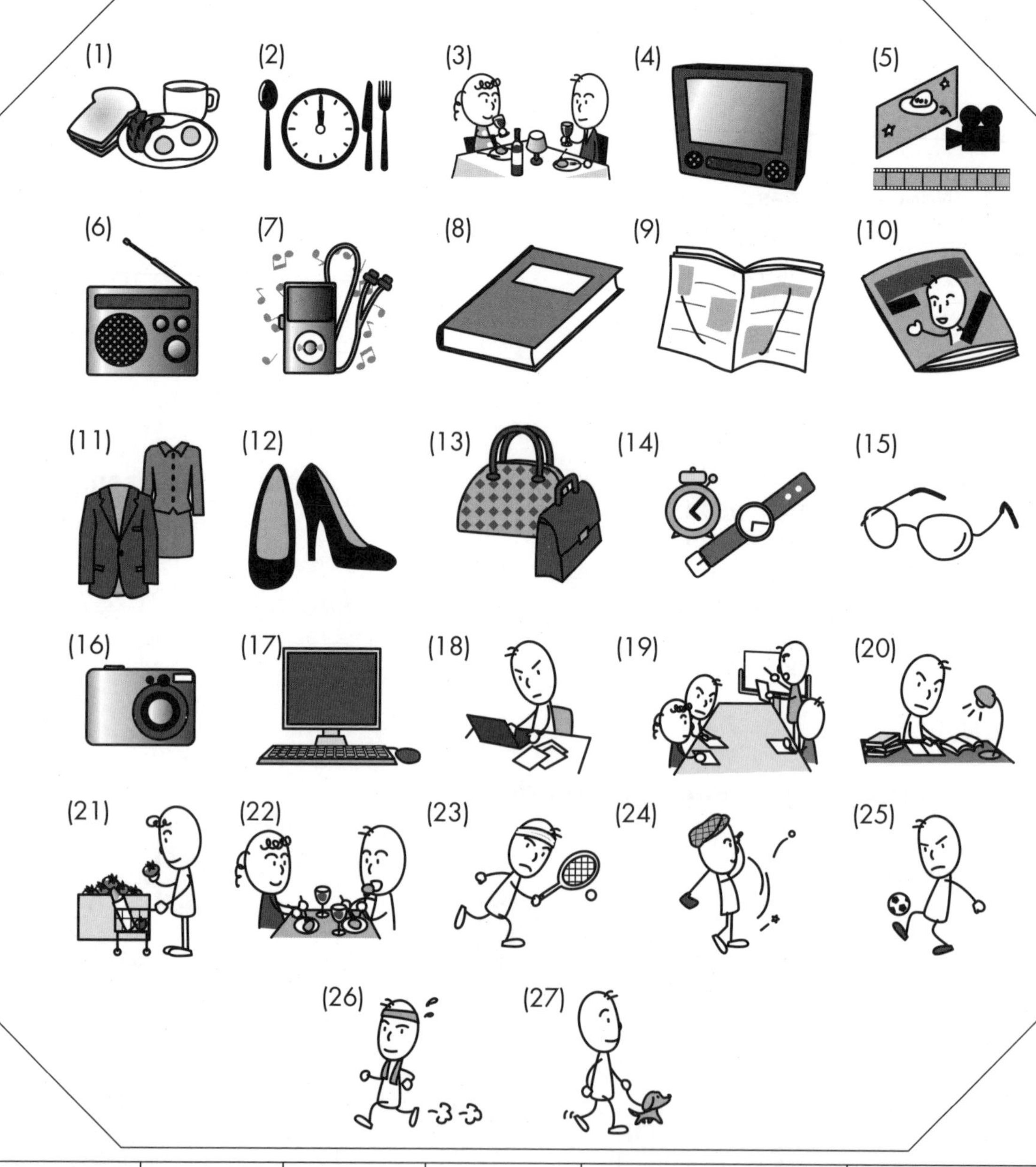

(1) asa-gohan	*breakfast*	**(11) fuku**	*clothes*	**(18) shigoto o shimasu**	*to work*
(2) hiru-gohan	*lunch*	**(12) kutsu**	*shoes*	**(19) kaigi o shimasu**	*to have a meeting*
(3) ban-gohan	*dinner*	**(13) kaban**	*bag*	**(20) benkyō o shimasu**	*to study*
(4) terebi	*television*	**(14) tokei**	*watch, clock*	**(21) shoppingu o shimasu**	*to go shopping*
(5) eiga	*film, movie*	**(15) megane**	*glasses*	**(22) shokuji o shimasu**	*to have a meal*
(6) rajio	*radio*	**(16) kamera**	*camera*	**(23) tenisu o shimasu**	*to play tennis*
(7) ongaku	*music*	**(17) pasokon**	*PC*	**(24) gorufu o shimasu**	*to play golf*
(8) hon	*book*			**(25) sakkā o shimasu**	*to play football*
(9) shinbun	*newspaper*			**(26) jogingu o shimasu**	*to jog*
(10) zasshi	*magazine*			**(27) sanpo o shimasu**	*to take a walk*

Step 2. Make sentences using the nouns ((1) ~ (7)) with suitable place nouns and verbs.

ex. <u>*Green*-san wa uchi de bīru o nomimasu.</u>

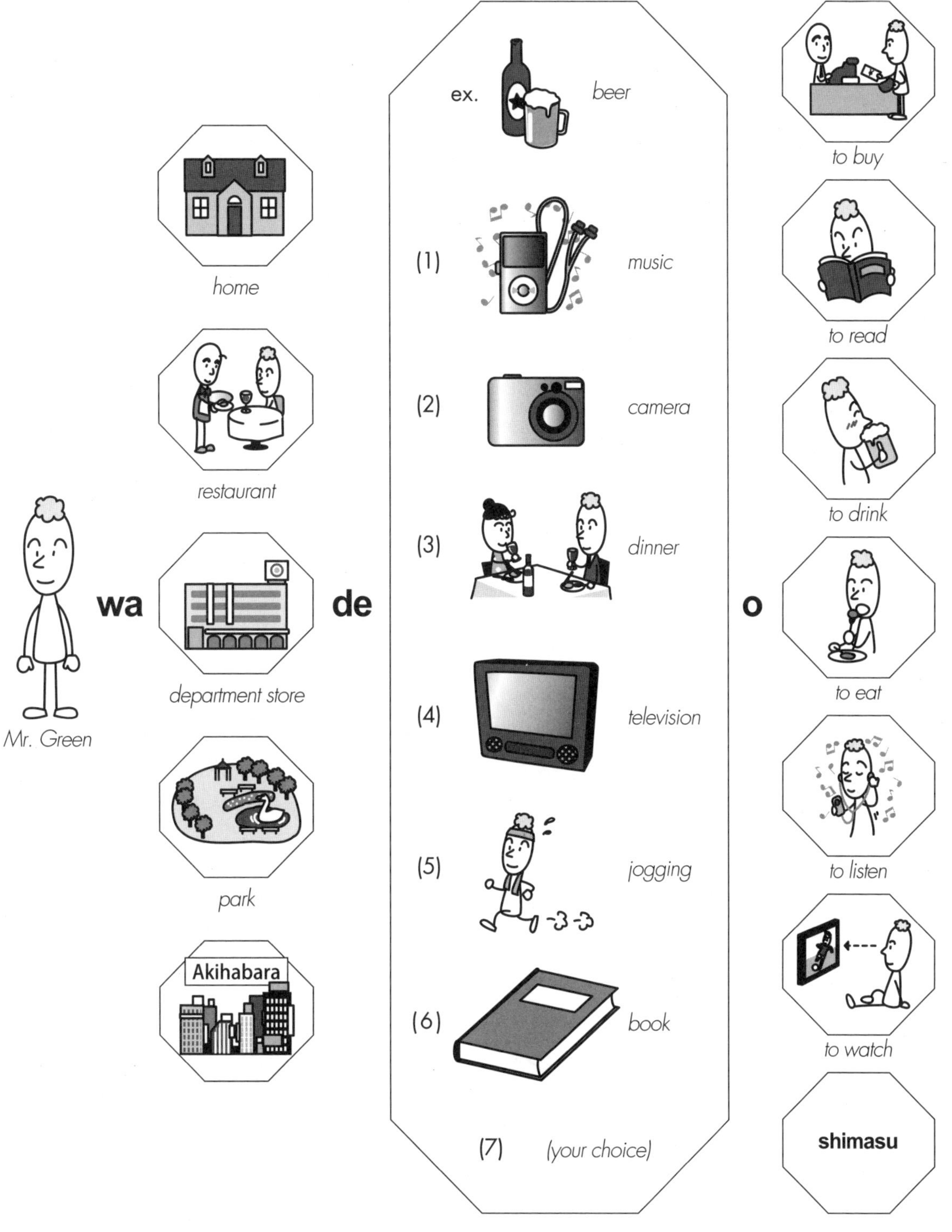

Step 3. Talk about your schedule.

(1) Konban nani o shimasu ka?

(2) Kondo no shūmatsu nani o shimasu ka?

*konban : *this evening* *kondo no : *this coming...* *shūmatsu : *weekend*

3. Describing Daily Routines

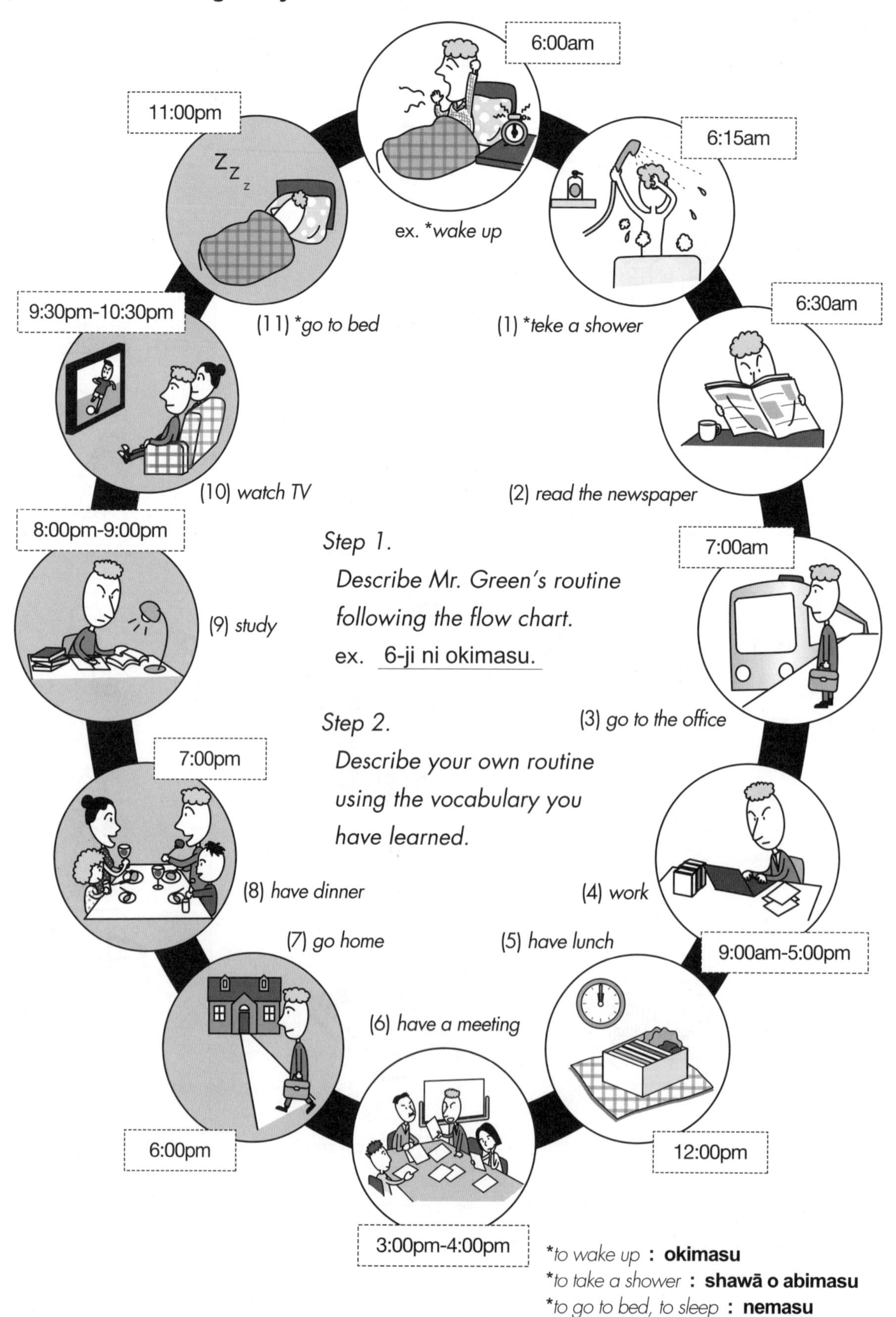

Step 1.

Describe Mr. Green's routine following the flow chart.

ex. 6-ji ni okimasu.

Step 2.

Describe your own routine using the vocabulary you have learned.

to wake up* : **okimasu
to take a shower* : **shawā o abimasu
to go to bed, to sleep* : **nemasu

Additional Words & Expressions

Often Used in the Office

★ *vocabulary*

mēru	*email*	**uchiawase**	*meeting*
shiryō	*material, data*	**gaishutsu**	*going out*
shorui	*document*	**zangyō**	*overtime work*
purezen	*presentation*	**shutchō**	*business trip*
junbi	*preparation*	**dōryō**	*colleague*
apo	*appointment*	**jōshi**	*superior*
yasumi	*holiday, day off*	**buka**	*subordinate*

★ *expressions*

mēru o shimasu	*to email*
kopī o shimasu	*to copy*
shiryō no kopī o shimasu	*to copy material(s)*

shiryō o yomimasu	*to read material(s)*
shiryō o tsukurimasu	*to make material(s)*
purezen o shimasu	*to give a presentation*
junbi o shimasu	*to prepare*
purezen no junbi o shimasu	*to prepare a presentation*

apo o torimasu	*to make an appointment*
yasumi o torimasu	*to take a vacation / a day off*
uchiawase o shimasu	*to have a meeting*
gaishutsu o shimasu	*to go out*
zangyō o shimasu	*to work overtime*
shutchō o shimasu	*to go on a business trip*

Grammar Notes

1. [time] **ni**

▶Particle **ni**: Time marker

The particle **ni** is placed after 'specific times' such as times, days of the week, days of the month and months. For 'relative times', such as **mainichi** (everyday), **kyō** (today) and **ashita** (tomorrow), the particle **ni** is unnecessary.

ex. **1-ji ni** *J-Foods* ni ikimasu. — *I'm going to J-Foods at 1:00.*
Sui-yōbi ni byōin ni ikimasu. — *I'm going to the hospital on Wednesday.*
***15-nichi ni** Roppongi ni ikimasu. — *I'm going to Roppongi on the 15th.*
***5-gatsu ni** Kyōto ni ikimasu. — *I'm going to Kyoto in May.*

(* → Lesson 9)

Raishū ~~ni~~ Kyōto ni ikimasu. — *I'm going to Kyoto next week.*

2. [person] **to**

▶Particle **to**: 'with'

A marker to show who you will do something with

ex. **Yamamoto-san to** Nagoya ni **ikimasu**. *I'm going to Nagoya with Mr. Yamamoto.*

3. **V-masu** **V:** verb

▶**Okimasu** and **nemasu** do not take objects.

ex. **6-ji ni okimasu.** *I get up at 6:00.*

	non-past form	
	aff.	*neg.*
wake up	**oki-masu**	**oki-masen**
go to bed	**ne-masu**	**ne-masen**

▶Non-past form is used to explain routines or future plans.

ex. **Mainichi jimu ni ikimasu.** *I go to the gym everyday.*
Ashita Ōsaka ni ikimasu. *I'm going to Osaka tomorrow.*

4. N o V

▶Particle **o**: Object marker

The particle **o** is placed after a noun and shows the noun is the object of the verb.

ex. **Hon o yomimasu.** *I read books.*

Jazu o kikimasu. *I listen to jazz.*

	non-past form			
	aff.		*neg.*	
take (a shower)	abi	masu	abi	masen
drink	nomi	masu	nomi	masen
eat	tabe	masu	tabe	masen
read	yomi	masu	yomi	masen
see, look, watch	mi	masu	mi	masen
listen	kiki	masu	kiki	masen
buy	kai	masu	kai	masen
do	shi	masu	shi	masen

5. [place] de N o V

▶Particle **de**: 'at'

A marker to show a location where someone performs an action

ex. **Resutoran de hiru-gohan o tabemasu.** *I have lunch at a restaurant.*

6. itsumo, yoku, tokidoki, amari ～ neg., zenzen ～ neg.

▶**Itsumo** (always), **yoku** (often), **tokidoki** (sometimes), **amari** (not very often) and **zenzen** (never) are adverbs and they show frequency. See the table below.

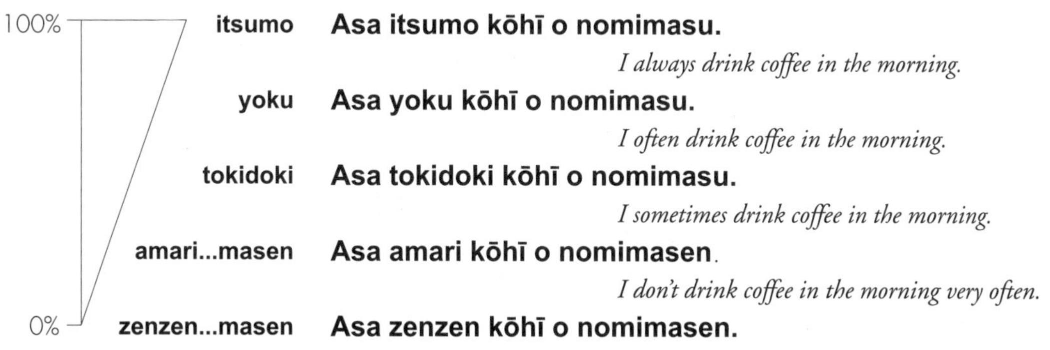

itsumo **Asa itsumo kōhī o nomimasu.**
I always drink coffee in the morning.

yoku **Asa yoku kōhī o nomimasu.**
I often drink coffee in the morning.

tokidoki **Asa tokidoki kōhī o nomimasu.**
I sometimes drink coffee in the morning.

amari...masen **Asa amari kōhī o nomimasen.**
I don't drink coffee in the morning very often.

zenzen...masen **Asa zenzen kōhī o nomimasen.**
I never drink coffee in the morning.

Additional Words & Expressions

Kazoku (*Family Members*)

**Use the words in parentheses when refering to the people in your family, to people outside your family.*

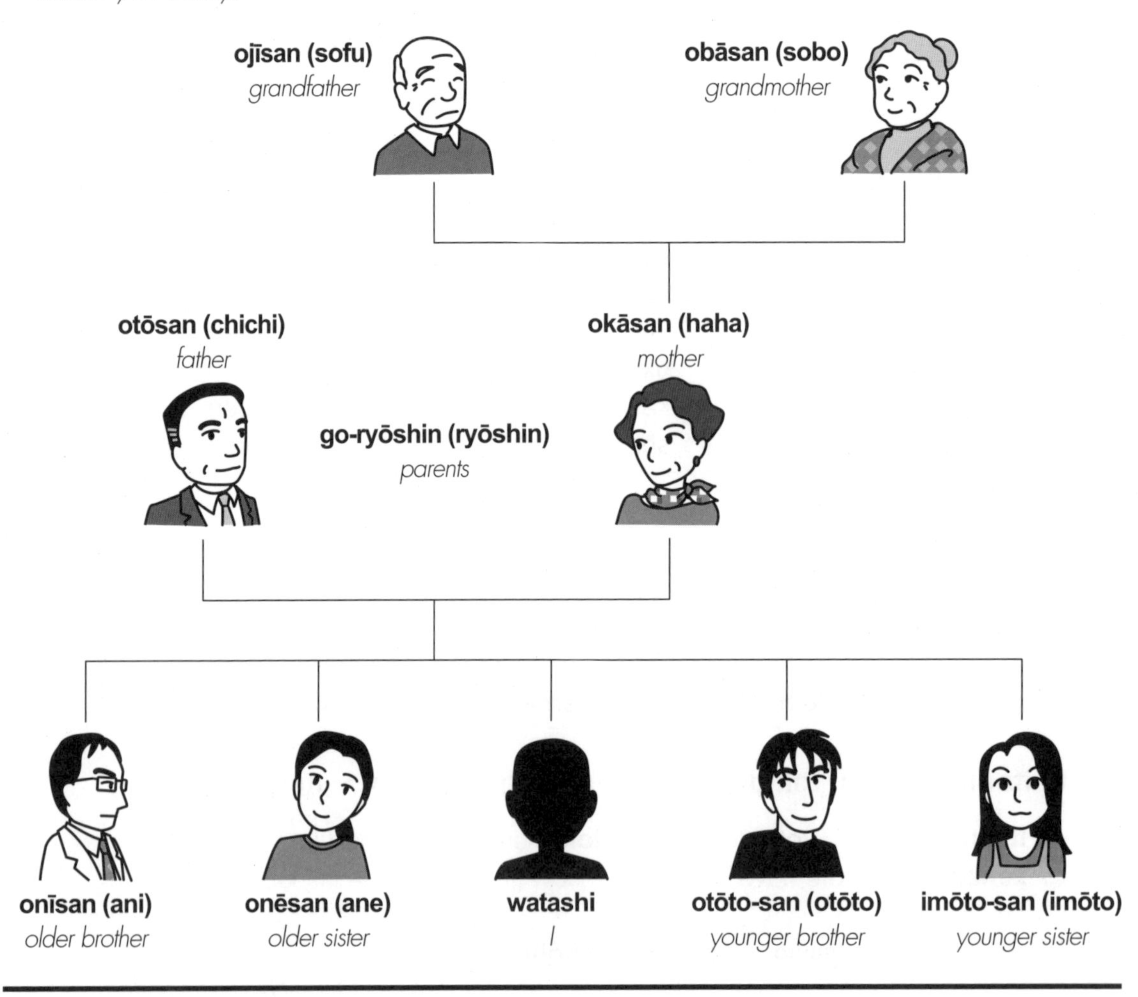

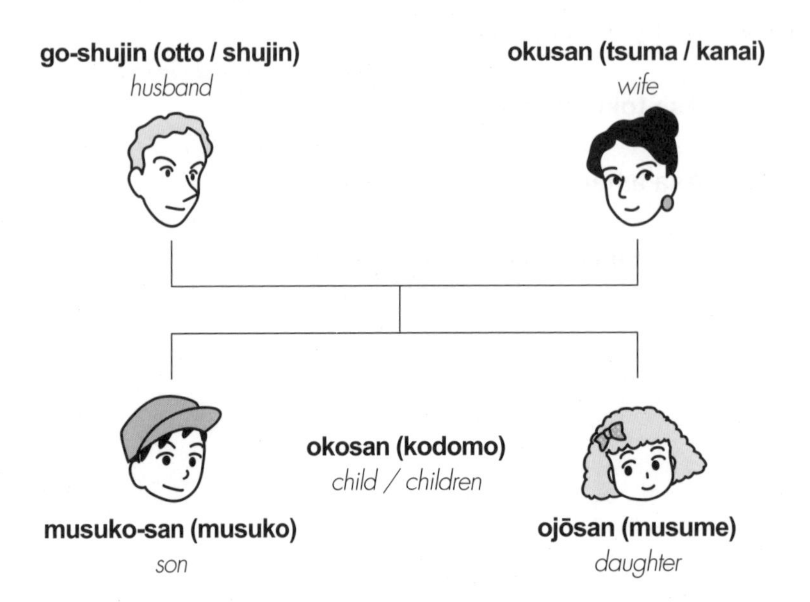

Typical Japanese Gestures

What is that person doing?

Nodding during a conversation doesn't always mean that you agree. It could mean only that you are listening.

Beckoning with your palm down means "Come here".

One hand forward moving up and down, means "Excuse me". It is used mostly by men, to ask someone to make room, such as when trying to walk through a crowd or sit down between two people on a train.

Raising your hands over your head touching them to form a circle means, "OK".
Making a large "X" with your hands in front of you means, "No good".

Making a circle with the thumb and forefinger means, "OK".

Scratching the back of your head indicates embarrassment because a mistake has been made or some secret has been revealed. It is used by men.

Folding your arms in front of your chest is used to indicate skepticism, reluctance or bewilderment.
It could also simply mean that the person is trying to think of what to say or has nothing to do at the moment.

Pointing at your nose with your forefinger with an inquiring expression means, "Who, me?"

Pressing your hands together is used when making a request or thanking someone for performing a favor. It is also used when apologizing for small matters like being late to meet someone at a station.

Lesson 9 Socializing

CD 42 Dialogue 1 At the Office

Hayashi : ***Green*-san wa sushi ga suki desu ka?**
Green **: Hai, suki desu.**
Hayashi : Sō desu ka. Ii sushi-ya o shitte imasu.
Issho ni ikimasen ka?
Green **: Ii desu ne, zehi. Itsu ikimasu ka?**
Hayashi : Ashita wa dō desu ka?
Green **: Sumimasen. Ashita wa chotto...**
Hayashi : Sō desu ka. Ja, kin-yōbi wa dō desu ka?
Green **: Daijōbu desu.**
Hayashi : Ja, kin-yōbi ni ikimashō.
Green **Tanoshimi ni shite imasu.**

はやし ： グリーンさんは すしが すきですか。
グリーン ： はい、すきです。
はやし ： そうですか。 いい すしやを しって います。
いっしょに いきませんか。
グリーン ： いいですね、ぜひ。 いつ いきますか。
はやし ： あしたは どうですか。
グリーン ： すみません。 あしたは ちょっと……
はやし ： そうですか。 じゃ、きんようびは どうですか。
グリーン ： だいじょうぶです。
はやし ： じゃ、きんようびに いきましょう。
グリーン ： たのしみに して います。

H : Do you like sushi?
G : Yes, I do.
H : Do you? I know a good sushi restaurant.
Would you like to go there with me?
G : I'd like that. When shall we go?
H : How about tomorrow?
G : Sorry. Well, not tomorrow...
H : I see. Then, how about Friday?
G : That's fine.
H : OK, let's go on Friday!
G : I'm looking forward to it.

Vocabulary

sushi	すし	*sushi*
sushi-ya	すしや	*sushi restaurant*
issho ni	いっしょに	*together*
zehi	ぜひ	*by all means*
dō	どう	*how*
yasumimasu	やすみます	*to take a rest*

Key Sentences

1. **Issho ni ikimasen ka?**
2. **Ashita wa dō desu ka?**
3. **Ikimashō.**

> **" ～ wa chotto..."**
> = *Well, I'm afraid ～ is no good.*

Drills

1. **Issho ni [ikimasen] ka?**
   - **hiru-gohan o tabemasen**
   - **kōhī o nomimasen**

> **"dō"**
> = *how*

2. **[Ashita] wa dō desu ka?**
   - **Do-yōbi**
   - **6-ji**

3. **[Ikimashō] .**
   - **Yasumimashō**
   - **Kaerimashō**
   - **Tenisu o shimashō**

> **"*[person]* wa *[something]* ga suki desu"**
> = *[person] likes [something]*
> ex. **Watashi wa wain ga suki desu.**
> = *I like wine.*
> ***Green*-san wa jogingu ga suki desu.**
> = *Mr. Green likes jogging.*

Key Expressions for Invitation

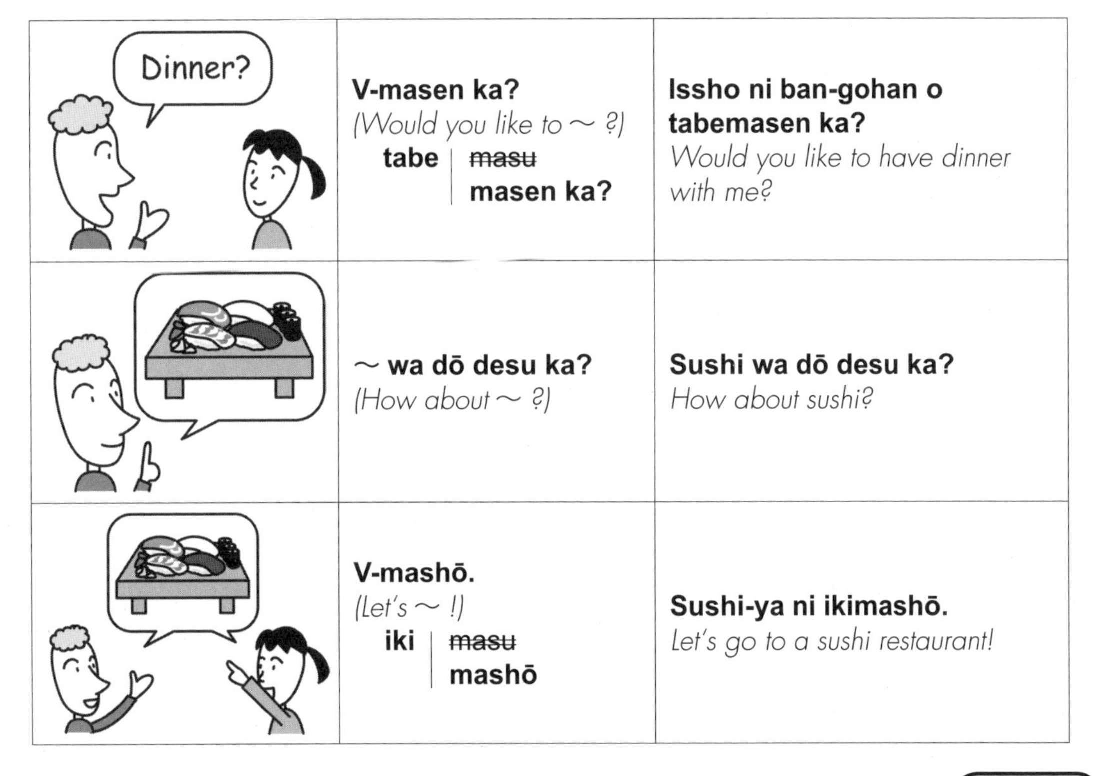

	V-masen ka? *(Would you like to ～ ?)* **tabe**	~~masu~~ **masen ka?**	**Issho ni ban-gohan o tabemasen ka?** *Would you like to have dinner with me?*
	～ wa dō desu ka? *(How about ～ ?)*	**Sushi wa dō desu ka?** *How about sushi?*
	V-mashō. *(Let's ～ !)* **iki**	~~masu~~ **mashō**	**Sushi-ya ni ikimashō.** *Let's go to a sushi restaurant!*

Expressions

▲ **～ ga suki desu**	～が　すきです	*to like ～*
▲ **～ o shitte imasu**	～を　しって　います	*to know ～*
▲ **～ wa chotto...**	～は　ちょっと……	*Well, I'm afraid ～ is no good.*
▲ **Daijōbu desu.**	だいじょうぶです。	*That's fine. / No problem.*
▲ **Tanoshimi ni shite imasu.**	たのしみに　して　います。	*I'm looking forward to it.*

Activity

Inviting

Step 1. Role-play

A : Issho ni Asakusa ni ikimasen ka?

B : *I'd like that. When shall we go?*

A : Do-yōbi wa dō desu ka?

B : *Sorry. Well, not Saturday...*

A : Sō desu ka. Ja, nichi-yōbi wa dō desu ka?

B : *That's fine.*

A : Ja, nichi-yōbi ni ikimashō.

B : *I'm looking forward to it.*

Step 2. Role-play

A : *Would you like to (a) with me?*

B : Ii desu ne, zehi. Itsu ikimasu ka?

A : *How about (b)?*

B : Sumimasen. (b) wa chotto...

A : Sō desu ka. Ja, *How about (c)?*

B : Daijōbu desu.

A : Ja, *Let's go (on) (c)!*

B : Tanoshimi ni shite imasu.

(1)	(a) *watch a movie*	(b) *Friday*	(c) *Saturday*
(2)	(a) *have dinner*	(b) *tonight*	(c) *tomorrow night*
(3)	(a) *play tennis*	(b) *Saturday*	(c) *Sunday*
(4)	(a) *have lunch*	(b) *tomorrow*	(c) *Thursday*

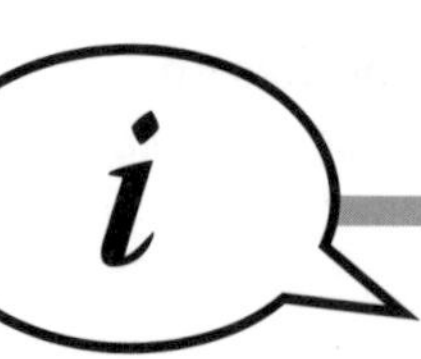

'Chotto...'

Chotto is very useful when you are invited and do not want to accept it.
Japanese do not like to say 'NO' clearly. Therefore, when you want to express that something is not convenient for you, you can use this pattern.

Step 3. Make up a suitable dialogue.

CD 43 Dialogue 2

At a Sushi Restaurant

Green : **Kireina mise desu ne. Yoku koko ni kimasu ka?**
Hayashi : **Ē. Koko wa totemo yūmeina mise desu.**
Nomimono wa nan ni shimasu ka?
Green : **Nama-bīru ni shimasu.**
Hayashi : *(Saying to a waiter)* **Sumimasen.**
Nama-bīru o futatsu onegaishimasu.
(Looking at the sushi menu) **Sushi wa nan ni shimasu ka?**
Green : **Ūn, sō desu ne... Toro ni shimasu. Hayashi-san wa?**
Hayashi : **Ika ni shimasu.**
(Saying to a waiter) **Sumimasen. Toro to ika o onegaishimasu.**

グリーン : きれいな　みせですね。　よく　ここに　きますか。
はやし : ええ。　ここは　とても　ゆうめいな　みせです。
のみものは　なんに　しますか。
グリーン : なまビールに　します。
はやし : *(Saying to a waiter)* すみません。
なまビールを　ふたつ　おねがいします。
(Looking at the sushi menu) すしは　なんに　しますか。
グリーン : うーん、そうですね……とろに　します。　はやしさんは？
はやし : いかに　します。
(Saying to a waiter) すみません。　とろと　いかを　おねがいします。

G : What a beautiful restaurant! Do you often come here?
H : Yes. It's a very famous restaurant.
What would you like to drink?
G : I'll have a draft beer.
H : (Saying to a waiter) Excuse me. Two draft beers, please.
(Looking at the menu) What kind of sushi will you have?
G : Well, let me see... I'll have tuna belly. How about you?
H : I'll have squid.
(Saying to a waiter) Excuse me.
Tuna belly and squid, please.

Vocabulary

kireina	きれいな	*beautiful*
mise	みせ	*restaurant, shop*
ē	ええ	*yes*
totemo	とても	*very*
yūmeina	ゆうめいな	*famous*
nomimono	のみもの	*drink, something to drink*
nama-bīru	なまビール	*draft beer*
toro	とろ	*tuna belly*
ika	いか	*squid*
benrina	べんりな	*convenient*
shizukana	しずかな	*quiet*
dezāto	デザート	*dessert*

Key Sentences

1. **Kireina mise desu.**
2. **Nomimono wa nan ni shimasu ka?**

Drills

1. **Kireina** mise desu.
   Yūmeina
   Benrina
   Shizukana

2. **Nomimono** wa nan ni shimasu ka?
   Sushi
   Dezāto

" ～ ni shimasu"
= *to decide on*
ex. **Shiro-wain ni shimasu.**
= *I'll have white wine.*

Activity

Role-play *Look at the menu and practice.*

A : Nomimono wa nan ni shimasu ka?
B : [　　　　] ni shimasu.
A : Sushi wa nan ni shimasu ka?
B : [　　　　] ni shimasu.

Menyū お品書き *menu*

Nomimono	飲み物	*drink*
bīru	ビール	*beer*
nama-bīru	生ビール	*draft beer*
nihonshu (hiya)	日本酒（冷）	*Japanese sake (cool)*
nihonshu (kan)	日本酒（燗）	*Japanese sake (warm)*
ūron-cha	ウーロン茶	*oolong tea*

Sushi	寿司	*sushi*
maguro	まぐろ	*tuna*
toro	とろ	*tuna belly*
ika	いか	*squid*
tako	たこ	*octopus*
ebi	えび	*shrimp, prawn*
tamago	玉子	*egg*
ikura	いくら	*salmon roe*
anago	穴子	*conger eel*

Expressions

▲ **Ūn, sō desu ne...** うーん、そうですね…… *Well, let me see...*

CD 44 Dialogue 3 At a Coffee Shop

Lee	:	**Roppongi de jazu no konsāto ga arimasu.** **Issho ni ikimasen ka?**
Tanaka	:	**Itsu desu ka?**
Lee	:	**6-gatsu 15-nichi desu. Do-yōbi desu.**
Tanaka	:	**Ii desu ne, zehi. Doko de aimasu ka?**
Lee	:	**5-ji ni Roppongi-eki no kaisatsu-guchi de aimashō.**
Tanaka	:	**Hai, wakarimashita.**
リー	:	ろっぽんぎで　ジャズの　コンサートが　あります。 いっしょに　いきませんか。
たなか	:	いつですか。
リー	:	6がつ 15にちです。　どようびです。
たなか	:	いいですね、ぜひ。　どこで　あいますか。
リー	:	5じに　ろっぽんぎえきの　かいさつぐちで　あいましょう。
たなか	:	はい、わかりました。

L : There will be a jazz concert in Roppongi.
Would you like to go with me?
T : When is it?
L : June 15th. It's a Saturday.
T : That's good. I'd love to go. Where shall we meet?
L : Let's meet at the ticket gate of Roppongi Station at 5:00.
T : OK.

Vocabulary

konsāto	コンサート	*concert*	**～nichi**	～にち	*day (of the month)*
ga	が	*(particle),[subject marker]*	**aimasu**	あいます	*to meet*
arimasu	あります	*there is/are going to be*	**kaisatsu-guchi**	かいさつぐち	*ticket gate*
6-gatsu	6がつ	*June*	**sēru**	セール	*sale*
～gatsu	～がつ	*month*	**hanabi**	はなび	*fireworks*
15-nichi	15にち	*15th (of the month)*	**matsuri**	まつり	*festival*

Key Sentences

1. Roppongi de jazu no konsāto ga arimasu.
2. (Konsāto wa) 6-gatsu 15-nichi desu.

"nan-nichi"
= *what day*

Drills

1. Roppongi de jazu no konsāto ga arimasu.
   Depāto sēru
   Hoteru pātī

"ga"
[subject marker]

2. Konsāto wa 6-gatsu 15-nichi desu.
   Hanabi 8-gatsu 11-nichi
   Matsuri 7-gatsu 18-nichi

"nan-gatsu"
= *what month*

Activities

1. Saying Dates in Japanese

Step 1. Learn how to say the months.

JAN.	*1*	ichi-gatsu	*MAY.*	*5*	go-gatsu	*SEP.*	*9*	ku-gatsu
FEB.	*2*	ni-gatsu	*JUN.*	*6*	roku-gatsu	*OCT.*	*10*	jū-gatsu
MAR.	*3*	san-gatsu	*JUL.*	*7*	shichi-gatsu	*NOV.*	*11*	jū ichi-gatsu
APR.	*4*	shi-gatsu	*AUG.*	*8*	hachi-gatsu	*DEC.*	*12*	jū ni-gatsu
						?	?	nan-gatsu

Step 2. Learn how to say the date.

1 tsuitachi	*2* futsuka	*3* mikka	*4* yokka	*5* itsuka	*6* muika	*7* nanoka
8 yōka	*9* kokonoka	*10* tōka	*11* jū ichi -nichi	*12* jū ni -nichi	*13* jū san -nichi	*14* jū yokka
15 jū go -nichi	*16* jū roku -nichi	*17* jū shichi -nichi	*18* jū hachi -nichi	*19* jū ku -nichi	*20* hatsuka	*21* ni-jū ichi-nichi
22 ni-jū ni-nichi	*23* ni-jū san-nichi	*24* ni-jū yokka	*25* ni-jū go-nichi	*26* ni-jū roku-nichi	*27* ni-jū shichi-nichi	*28* ni-jū hachi-nichi
29 ni-jū ku-nichi	*30* san-jū -nichi	*31* san-jū ichi-nichi	? nan-nichi			

Lesson 9

Expressions

▲Wakarimashita. わかりました。 *OK. / I see.*

Step 3. Say the following dates in Japanese.

(1) *April 25th*　(2) *July 30th*　(3) *September 18th*
(4) *November 29th*　(5) *January 4th*　(6) *August 14th*
(7) *May 8th*　(8) *February 10th*　(9) *October 3rd*
(10) *March 6th*　(11) *June 7th*　(12) *December 1st*
(13) *(your birthday)*　(14) *(a family member's birthday)*

2. Describe the following schedule.

Step 1. Learn the following words.

				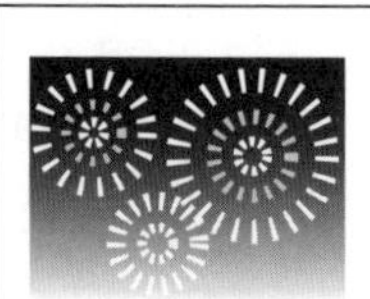	
matsuri *festival*	**sōbetsu-kai** *farewell party*	**pātī** *party*	**konsāto** *concert*	**hanabi** *fireworks*	**sakkā no shiai** *football match*

Step 2. Describe the schedule of events.

ex. 16-nichi ni Yokohama de hanabi ga arimasu.

Mon.	*Tue.*	*Wed.*	*Thu*	*Fri.*	*Sat.*	*Sun.*
		13	*14*	*15*	*16* ex. **@Yokohama** *fireworks*	*17* (1) **@Roppongi** *party*
18	*19* (2) **@Shibuya** *concert*	*20*	*21*	*22*	*23*	*24* (3) **@Asakusa** *festival*
25	*26*	*27*	*28* (4) **@Ginza** *farewell party*	*29*	*30* (5) **@Sendagaya** *football match*	

Vocabulary

sōbetsu-kai	そうべつかい	*farewell party*	**Yokohama**	よこはま	*(place name)*
shiai	しあい	*game, match*			

Grammar Notes

1. N1 [person] wa N2 [something] ga suki desu.

► This sentence pattern is used when you want to express what someone likes.
ex. ***Green*-san wa sushi ga suki desu.** *Mr. Green likes sushi.*

2. N1 [place] de N2 [event] ga arimasu.

► When **N2** expresses events such as a concert, party, festival, incident, disaster etc., **arimasu** means *'to take place'*, *'to be held'* or *'to happen'*.

► **N2** is treated as a subject and the particle **ga** (subject marker) is used.
ex. **Roppongi de jazu no konsāto ga arimasu.**
A jazz concert will be held in Roppongi.
Koko de 11-ji kara kaigi ga arimasu.
A meeting will be held here from 11:00.

3. V-masen ka? 'Won't you ~ ?'

► This sentence pattern is used when you want to invite someone to do something.
ex. **Issho ni sushi-ya ni ikimasen ka?** *Would you like to go to a sushi restaurant with me?*

4. N wa dō desu ka?

► **...wa dō desu ka?** : 'How about...?'
ex. **Ashita wa dō desu ka?** *How about tomorrow?*

5. V-mashō. 'Let's ~ !'

► This sentence pattern is used when you want to positively invite someone to do something with you.
ex. **Kin-yōbi ni ikimashō.** *Let's go on Friday!*

<adjectives> (2) :

na-adjectives can also be used as:
(1) noun modifiers (adjective + noun)
(2) predicates (adjective + **desu**)

(as for i-adjectives, see Lesson 4)

6. na-adj. N — noun modifiers (adjective + **na** + noun)

►As a noun modifier, a **na-adjective** + **na** comes before the noun.
ex. ***J*-Resutoran wa kireina resutoran desu.** *J-Restaurant is a beautiful restaurant.*

7. N wa na-adj. desu. — predicates (adjective + **desu**)

ex. ***J*-Resutoran wa kirei desu.** *J-restaurant is beautiful.*

na-adjectives

	noun modifier: adjective + noun			*as predicate: adjective +* **desu**	
beautiful / clean	**kirei**	**na**	+ **noun**	**kirei**	**desu**
famous	**yūmei**	**na**		**yūmei**	**desu**
convenient	**benri**	**na**		**benri**	**desu**
quiet	**shizuka**	**na**		**shizuka**	**desu**

8. N ni shimasu. — 'to decide on…'

►This sentence pattern is used to express the speaker's intention or conscious decision.
ex. **Toro ni shimasu.** *I'll have tuna belly.*

9. (N wa) ~ gatsu ~ nichi desu. (N_1 wa N_2 desu.)

ex. **Konsāto wa 6-gatsu 15-nichi desu.** *The concert will be held on June 15th.*

10. Question Words for Time

time in general	**itsu**	*when*
hour	**nan-ji**	*what time*
day of the week	**nan-yōbi**	*what day of the week*
day of the month	**nan-nichi**	*what day of the month*
month	**nan-gatsu**	*which month*

Additional Words & Expressions

Time Expressions

month	*last month*	*this month*	*next month*	*every month*
	sengetsu	**kongetsu**	**raigetsu**	**maitsuki**
year	*last year*	*this year*	*next year*	*every year*
	kyonen	**kotoshi**	**rainen**	**maitoshi**

Additional Grammar

N wa na-adj. ja arimasen.

► To make the negative form of a **na-adjective**, put **ja arimasen** instead of **desu**.
ex. yūmei **desu** → yūmei **ja arimasen** *famous → not famous*

na-adjectives

	as predicate: non-past form				
	aff.		*neg.*		
beautiful / clean	**kirei**	**desu**	**kirei**	**ja**	**arimasen**
famous	**yūmei**	**desu**	**yūmei**	**ja**	**arimasen**
convenient	**benri**	**desu**	**benri**	**ja**	**arimasen**
quiet	**shizuka**	**desu**	**shizuka**	**ja**	**arimasen**

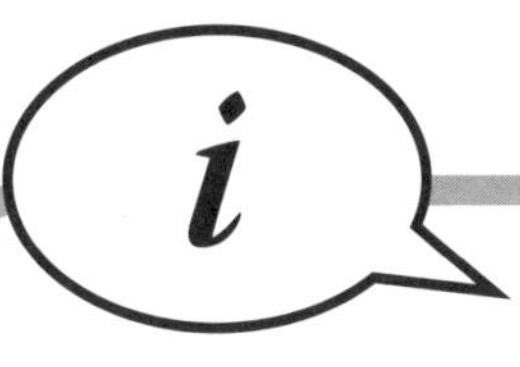

Taboos with the Use of Chopsticks

Chopsticks should not be stuck into a bowl of rice. In Buddhism, people offer a bowl of rice to the dead with a pair of chopsticks stuck perpendicularly.

Chopsticks should not be stuck into a piece of food. Break the food apart between the chopsticks when cutting into bite-size pieces.

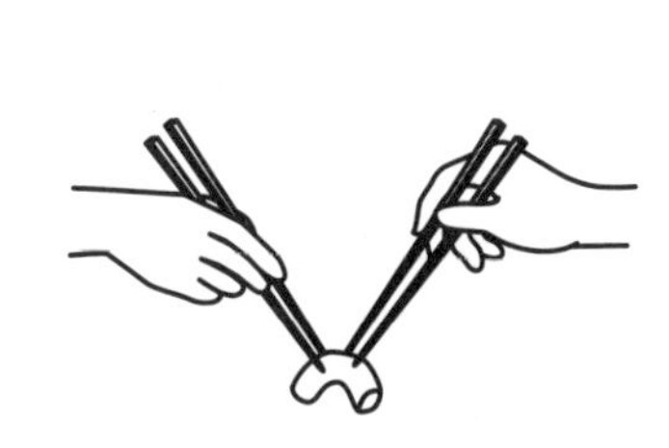

Food should not be passed from one pair of chopsticks to another. This reminds Japanese of the funeral practice of passing the bones of a relative who has passed away. Put the food down on the plate once, and then pick it up.

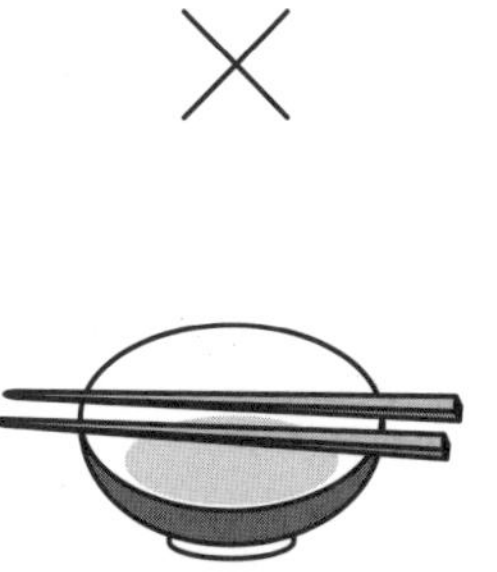

Place the chopsticks on the chopsticks rest, not on the bowl.

Do not pick food up from serving plates with the eating ends of chopsticks. Use the other ends.

Do not pick up your bowl with your chopsticks in your hand.

Lesson 10 Talking about Leisure Time

CD 45 Dialogue 1 In the Elevator Hall

—Mr. Green and Mr. Hayashi are members of the same sports club.

Green : **Ohayō gozaimasu.**

Hayashi : **Ā, *Green*-san, ohayō gozaimasu.**

Green : **Hayashi-san, kinō jimu ni ikimashita ka?**

Hayashi : **Iie, ikimasen deshita.**
9-ji made zangyō o shimashita.
***Green*-san wa ikimashita ka?**

Green : **Hai, ikimashita.**

Hayashi : **Sō desu ka. Nani o shimashita ka?**

Green : **Yoga o shimashita.**

グリーン : おはよう　ございます。

はやし : ああ、グリーンさん、おはよう　ございます。

グリーン : はやしさん、きのう　ジムに　いきましたか。

はやし : いいえ、いきませんでした。
９じまで　ざんぎょうを　しました。
グリーンさんは　いきましたか。

グリーン : はい、いきました。

はやし : そうですか。　なにを　しましたか。

グリーン : ヨガを　しました。

G : Good morning.
H : Ah, good morning, Mr. Green.
G : Mr. Hayashi, did you go to the gym yesterday?
H : No, I didn't. I worked overtime until 9:00.
How about you?
G : I went.
H : Really. What did you do?
G : Yoga.

Vocabulary

kinō	きのう	*yesterday*
ikimashita	いきました	*went (past tense of 'ikimasu')*
ikimasen deshita	いきませんでした	*did not go (past tense of 'ikimasen')*
zangyō	ざんぎょう	*overtime work*
shimashita	しました	*did (past tense of 'shimasu')*

Key Sentences

1. Jimu ni ikimashita.
2. (Jimu ni) ikimasen deshita.

Past Tense of Verbs

ex. **ikimashita** = *went*
shimashita = *did*
ikimasen deshita = *did not go*
shimasen deshita = *did not do*

Drills

1.

Jimu	ni	ikimashita .
Ofisu		kimashita
Uchi		kaerimashita
Zangyō	o	shimashita
Pan		tabemashita
Kōhī		nomimashita
		Okimashita
		Nemashita

2.

Jimu	ni	ikimasen deshita .
Ofisu		kimasen deshita
Uchi		kaerimasen deshita
Zangyō	o	shimasen deshita
Pan		tabemasen deshita
Kōhī		nomimasen deshita
		Okimasen deshita
		Nemasen deshita

Activities

1. Talking about Whether You Did Something or Not

Look at the pictures and answer the questions.

ex.1 

ex.2 

ex.1 Q: Sushi o tabemashita ka?
A: Hai, tabemashita.

ex.2 Q: Bīru o nomimashita ka?
A: Iie, nomimasen deshita.

(1) 

(2) 

(1) Q: Kōen ni ikimashita ka?
A: ______________________.

(2) Q: Jogingu o shimashita ka?
A: ______________________.

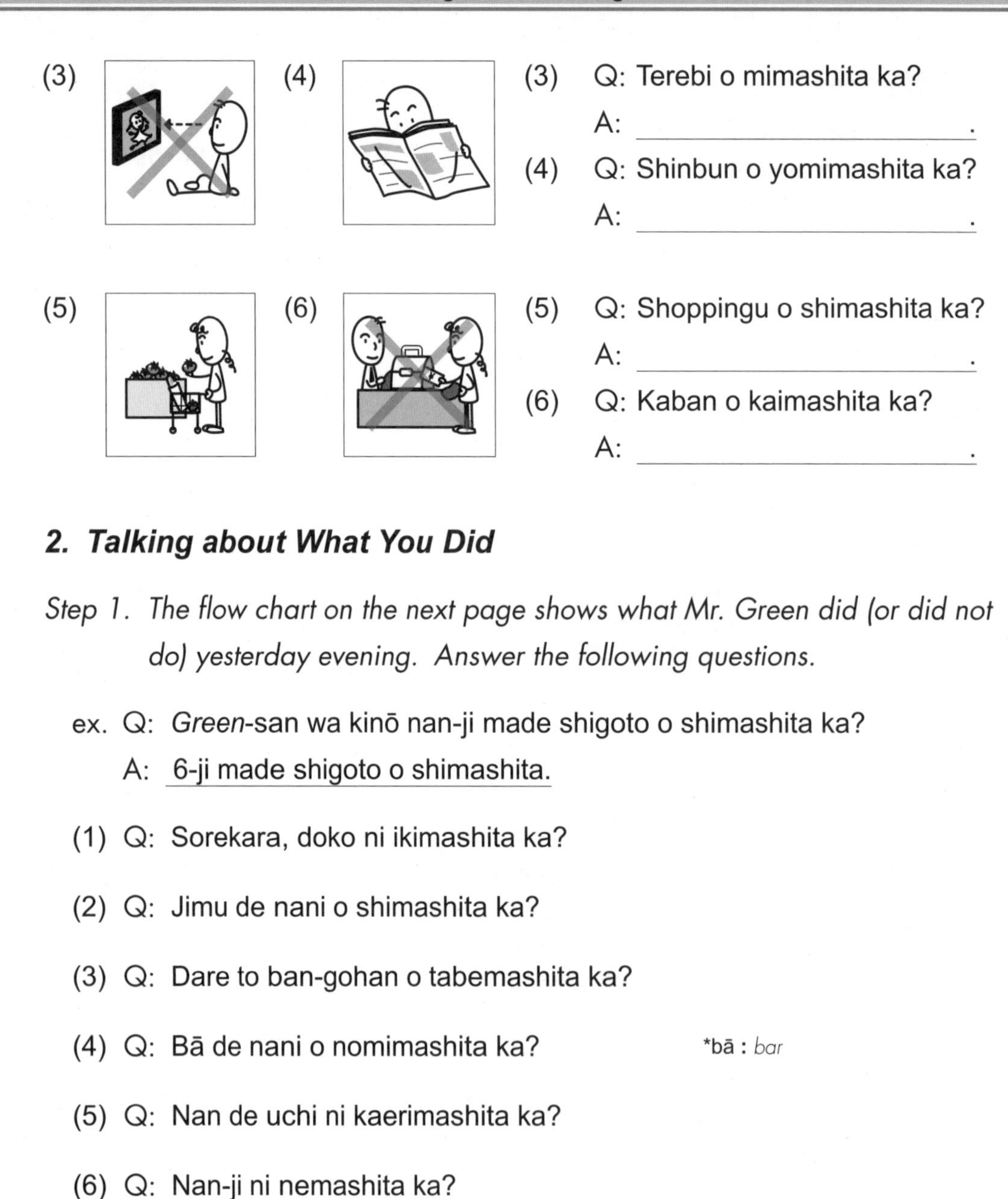

(3) Q: Terebi o mimashita ka?
A: ______________.

(4) Q: Shinbun o yomimashita ka?
A: ______________.

(5) Q: Shoppingu o shimashita ka?
A: ______________.

(6) Q: Kaban o kaimashita ka?
A: ______________.

2. *Talking about What You Did*

Step 1. The flow chart on the next page shows what Mr. Green did (or did not do) yesterday evening. Answer the following questions.

ex. Q: *Green*-san wa kinō nan-ji made shigoto o shimashita ka?
A: 6-ji made shigoto o shimashita.

(1) Q: Sorekara, doko ni ikimashita ka?

(2) Q: Jimu de nani o shimashita ka?

(3) Q: Dare to ban-gohan o tabemashita ka?

(4) Q: Bā de nani o nomimashita ka? *bā : *bar*

(5) Q: Nan de uchi ni kaerimashita ka?

(6) Q: Nan-ji ni nemashita ka?

(7) Q: Nihon-go no benkyō o shimashita ka?

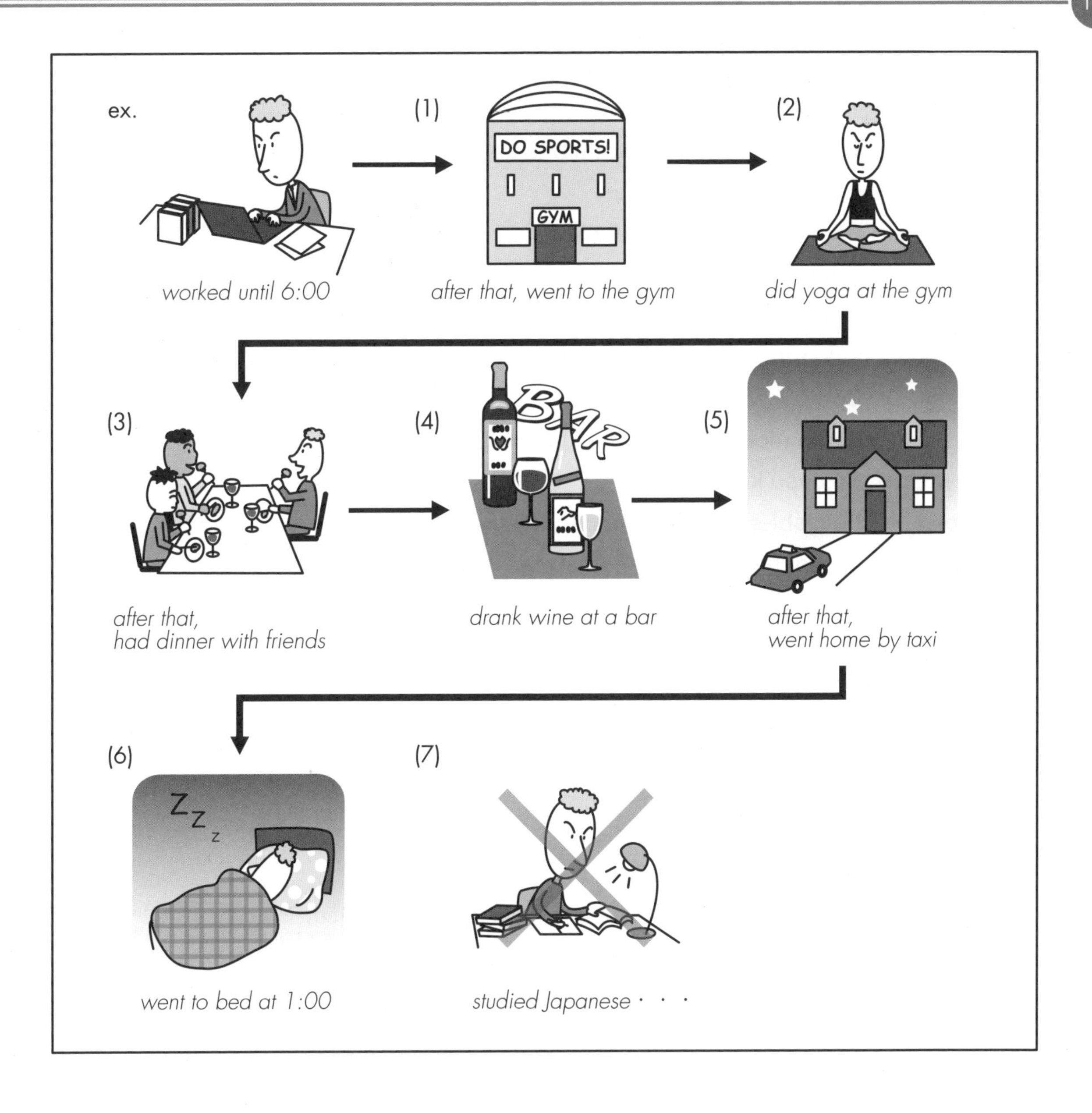

Step 2. Describe what Mr. Green did (or did not do) yesterday evening using the above flow chart.

ex. *Green*-san wa kinō 6-ji made shigoto o shimashita.

Step 3. Describe what you did (or did not do) yesterday evening.

(1) Kinō, nan-ji made shigoto o shimashita ka?
(2) Sorekara, nani o shimashita ka?
(3) Nan-ji ni uchi ni kaerimashita ka?
(4) Uchi de nani o shimashita ka?
(5) Nan-ji ni nemashita ka?

CD 46 Dialogue 2 At the Office

Hayashi : **Shūmatsu, dokoka ikimashita ka?**
Green **:** **Ē, Kyōto ni ikimashita.**
Hayashi : **Sō desu ka. Dō deshita ka?**
Green **:** **Omoshirokatta desu.**
O-tera o takusan mimashita. Totemo kirei deshita.
Hayashi : **Yokatta desu ne. Tenki wa dō deshita ka?**
Green **:** **Do-yōbi wa yokatta desu.**
Demo nichi-yōbi wa ame deshita. Chotto samukatta desu.
Hayashi : **Sō desu ka.**
Green **:** **Hayashi-san wa shūmatsu dokoka ikimashita ka?**
Hayashi : **Iie, doko mo ikimasen deshita.**

はやし　：しゅうまつ、どこか　いきましたか。
グリーン：ええ、きょうとに　いきました。
はやし　：そうですか。　どうでしたか。
グリーン：おもしろかったです。
おてらを　たくさん　みました。　とても　きれいでした。
はやし　：よかったですね。　てんきは　どうでしたか。
グリーン：どようびは　よかったです。
でも、にちようびは　あめでした。　ちょっと　さむかったです。
はやし　：そうですか。
グリーン：はやしさんは　しゅうまつ　どこか　いきましたか。
はやし　：いいえ、どこも　いきませんでした。

H : Did you go anywhere last weekend?
G : Yes, I went to Kyoto.
H : Really. How was it?
G : It was interesting. I saw a lot of temples.
They were so beautiful.
H : That's wonderful. How was the weather?
G : It was good on Saturday.
But It was rainy on Sunday. It was a little bit cold.
H : Really.
G : Did you go anywhere last weekend?
H : No, I didn't go anywhere.

Vocabulary

dokoka	どこか	*anywhere*
deshita	でした	*was/were*
omoshirokatta desu	おもしろかったです	*was/were interesting*
o-tera	おてら	*temple*
takusan	たくさん	*a lot*
kirei deshita	きれいでした	*was/were beautiful*
tenki	てんき	*weather*
yokatta desu	よかったです	*was/were good*
ame	あめ	*rain*
samukatta desu	さむかったです	*was/were cold*
Hokkaidō	ほっかいどう	*(place name)*
Okinawa	おきなわ	*(place name)*
tanoshikatta desu	たのしかったです	*was/were enjoyable*
atsukatta desu	あつかったです	*was/were hot*
shizuka deshita	しずかでした	*was/were quiet*
nigiyaka deshita	にぎやかでした	*was/were lively*
yuki	ゆき	*snow*
renkyū	れんきゅう	*successive holidays*

Key Sentences

1. (Kyōto wa) omoshirokatta desu.
2. (O-tera wa) kirei deshita.
3. Nichi-yōbi wa ame deshita.

Past Tense of Adjectives

Omoshirokatta desu. *(i-adj.)*
= *It was interesting.*
Kirei deshita. *(na-adj.)*
= *It was beautiful.*

Drills

1. **Kyōto** wa **omoshirokatta desu** .
   Hokkaidō — tanoshikatta desu
   Okinawa — atsukatta desu

2. **O-tera** wa **kirei deshita** .
   Resutoran — shizuka deshita
   Pātī — nigiyaka deshita

3. **Nichi-yōbi** wa **ame** deshita.
   Kinō — yuki
   Renkyū — ii tenki

"doko mo ikimasen"
= *do not go anywhere*

Past Tense of Noun Sentences
Yasumi deshita. = *It was a holiday.*

Activities

1. Giving Impressions

Step 1. Answer the questions as in the example.

ex.

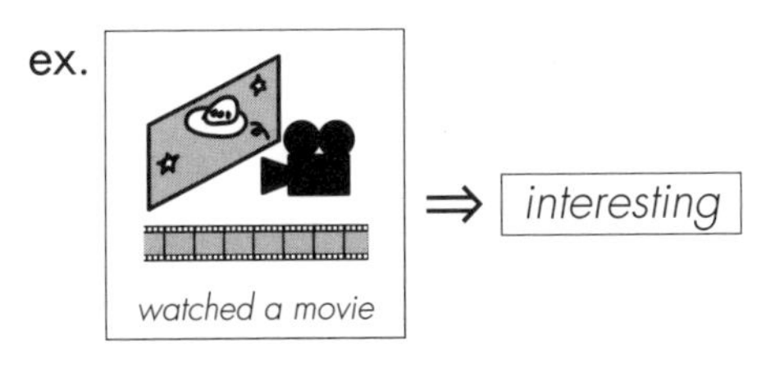

Q: Eiga wa dō deshita ka?
A: Omoshirokatta desu.

(1)

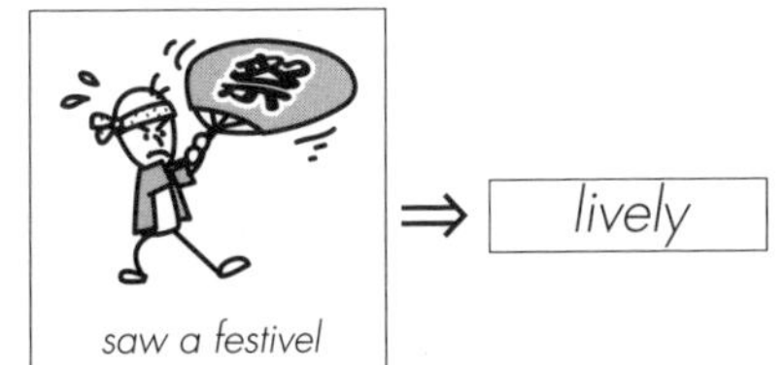

Q: Matsuri wa dō deshita ka?
A: ______________.

Expressions

▲ **Dokoka ikimashita ka?**	どこか　いきましたか。	*Did you go anywhere?*
▲ **Dō deshita ka?**	どう　でしたか。	*How was it?*
▲ **Yokatta desu ne.**	よかったですね。	*That's wonderful.*
▲ **Doko mo ikimasen deshita.**	どこも　いきませんでした。	*I didn't go anywhere.*

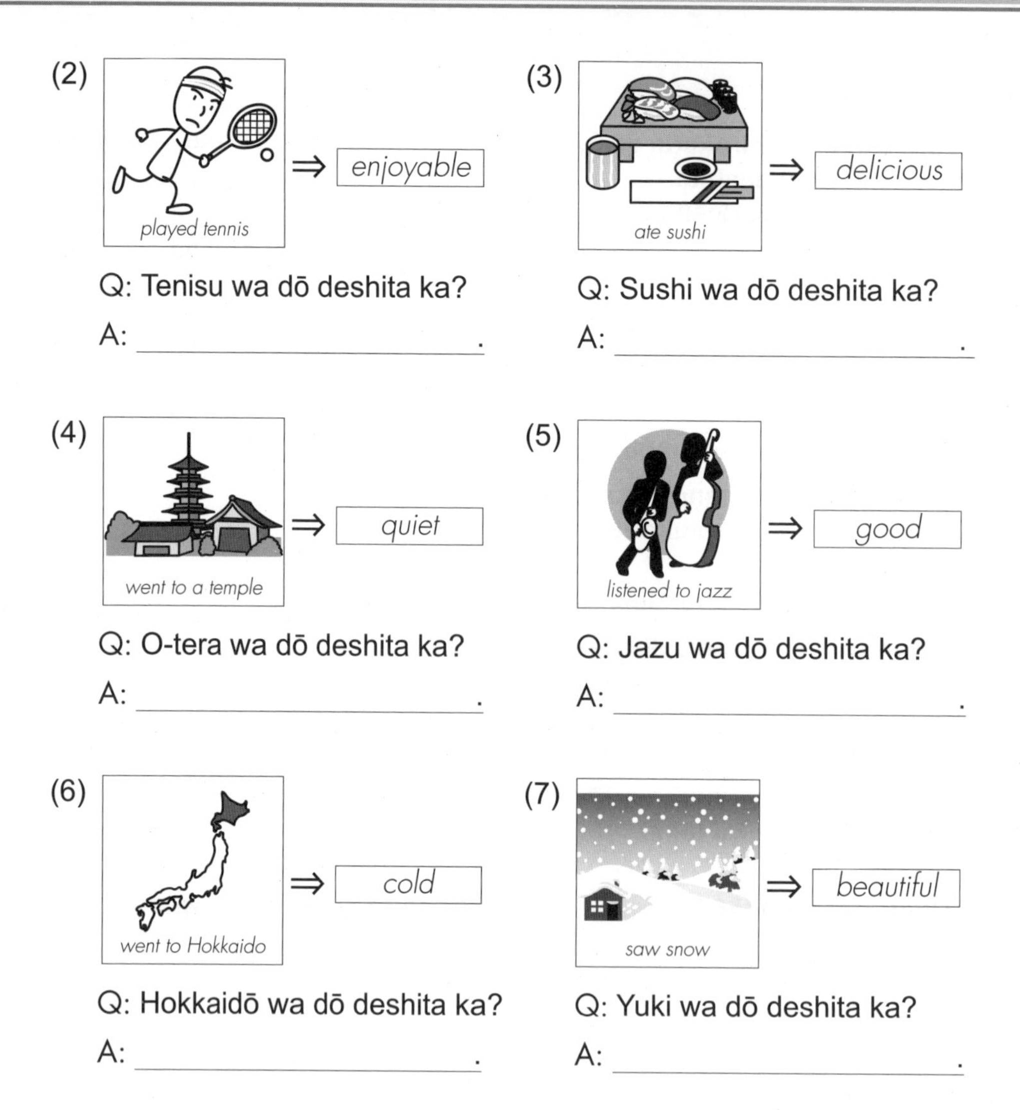

Step 2. Describe each picture as in the example below.

ex. Eiga o mimashita. Omoshirokatta desu.

2. Talk about your leisure time.

(1) (Shūmatsu / Renkyū / Natsu-yasumi), dokoka ikimashita ka?

*natsu-yasumi : *summer vacation*

(2) Nani o shimashita ka?

(3) Dō deshita ka?

Additional Words & Expressions

Talking about Leisure Time

★ *Weekends*

sōji o shimasu — *to clean*
sentaku o shimasu — *to wash, to do laundry*
ryōri o shimasu — *to cook*
yukkuri shimasu — *to make yourself at home, to relax*
kodomo to asobimasu — *to play with children*

★ *Traveling*

yoyaku o shimasu — *to make a reservation*
ryokan / hoteru ni tomarimasu — *to stay at a ryokan / hotel*
onsen ni hairimasu — *to take a hot spring bath*
omiyage o kaimasu — *to buy a souvenir*
shashin o torimasu — *to take a photo*

★ *Outdoor Life*

yama ni noborimasu — *to climb a mountain*
haikingu o shimasu — *to take a hike*
doraibu o shimasu — *to take a drive*

sukī o shimasu — *to ski*
sunōbōdo o shimasu — *to snowboard*

umi ni ikimasu — *to go to the seaside*
umi de oyogimasu — *to swim in the sea*
daibingu o shimasu — *to dive*
sunōkeringu o shimasu — *to snorkel*
sāfin o shimasu — *to surf*
bōto / ferī ni norimasu — *to get on a boat / ferry*

★ *Talking about Weather*

Tenki ga ii desu / yokatta desu. — *The weather is / was good.*
Tenki ga warui desu / warukatta desu. — *The weather is / was bad.*
Atsui desu / Atsukatta desu. — *It is / was hot.*
Mushi-atsui desu / Mushi-atsukatta desu. — *It is / was hot and humid.*
Suzushii desu / Suzushikatta desu. — *It is / was cool.*
Samui desu / Samukatta desu. — *It is / was cold.*
Atatakai desu / Atatakakatta desu. — *It is / was warm.*

Grammar Notes

1. V-mashita / masen deshita   **V:** verb

▶ The past tense of verbs is made as follows:

V-~~masu~~ ⇒ V-mashita

V-~~masen~~ ⇒ V-masen deshita

	non-past form				past form			
	aff.		neg.		aff.		neg.	
go	**iki**	**masu**	**iki**	**masen**	**iki**	**mashita**	**iki**	**masen deshita**
come	**ki**	**masu**	**ki**	**masen**	**ki**	**mashita**	**ki**	**masen deshita**
come back	**kaeri**	**masu**	**kaeri**	**masen**	**kaeri**	**mashita**	**kaeri**	**masen deshita**
wake up	**oki**	**masu**	**oki**	**masen**	**oki**	**mashita**	**oki**	**masen deshita**
go to bed	**ne**	**masu**	**ne**	**masen**	**ne**	**mashita**	**ne**	**masen deshita**
take (a shower)	**abi**	**masu**	**abi**	**masen**	**abi**	**mashita**	**abi**	**masen deshita**
drink	**nomi**	**masu**	**nomi**	**masen**	**nomi**	**mashita**	**nomi**	**masen deshita**
eat	**tabe**	**masu**	**tabe**	**masen**	**tabe**	**mashita**	**tabe**	**masen deshita**
read	**yomi**	**masu**	**yomi**	**masen**	**yomi**	**mashita**	**yomi**	**masen deshita**
see, look, watch	**mi**	**masu**	**mi**	**masen**	**mi**	**mashita**	**mi**	**masen deshita**
listen	**kiki**	**masu**	**kiki**	**masen**	**kiki**	**mashita**	**kiki**	**masen deshita**
buy	**kai**	**masu**	**kai**	**masen**	**kai**	**mashita**	**kai**	**masen deshita**
do	**shi**	**masu**	**shi**	**masen**	**shi**	**mashita**	**shi**	**masen deshita**

2. dokoka / nanika

▶ **dokoka** = anywhere or somewhere

nanika = anything or something

ex. **Dokoka ikimashita ka?** *Did you go anywhere?*

Nanika shimashita ka? *Did you do anything?*

3. N_1 wa N_2 deshita.   **N:** noun

▶ The past tense of noun sentences is made as follows:

N ~~desu~~ ⇒ N deshita

ex. **Kinō wa yasumi deshita.** *Yesterday was a holiday.*

4. N wa i-adj. (~~i~~ → katta) desu.

►The past tense of i-adj. is made as follows:
omoshiro~~i~~ desu ⇒ omoshiro**katta** desu : *is interesting ⇒ was interesting*
ex. **Kyōto wa omoshirokatta desu.** *Kyoto was interesting.*

i-adjectives

	aff.					
	non-past form			*past form*		
big	**ōki**	**i**	**desu**	**ōki**	**katta**	**desu**
small, little	**chiisa**	**i**	**desu**	**chiisa**	**katta**	**desu**
expensive	**taka**	**i**	**desu**	**taka**	**katta**	**desu**
cheap	**yasu**	**i**	**desu**	**yasu**	**katta**	**desu**
hot (weather)	**atsu**	**i**	**desu**	**atsu**	**katta**	**desu**
cold (weather)	**samu**	**i**	**desu**	**samu**	**katta**	**desu**
interesting	**omoshiro**	**i**	**desu**	**omoshiro**	**katta**	**desu**
good	**i**	**i**	**desu**	*** yo**	**katta**	**desu**
delicious	**oishi**	**i**	**desu**	**oishi**	**katta**	**desu**
hot, spicy	**kara**	**i**	**desu**	**kara**	**katta**	**desu**
enjoyable	**tanoshi**	**i**	**desu**	**tanoshi**	**katta**	**desu**

*The past form of '**ii desu**' is '**yokatta desu**' and should never be '**ikatta desu**'.

5. N wa na-adj. deshita.

►The past tense of na-adj. is made as follows:
kirei ~~desu~~ ⇒ kirei **deshita** : *is beautiful ⇒ was beautiful*
ex. **O-tera wa kirei deshita.** *The temples were beautiful.*

na-adjectives

	aff.			
	non-past form		*past form*	
beautiful / clean	**kirei**	**desu**	**kirei**	**deshita**
quiet	**shizuka**	**desu**	**shizuka**	**deshita**
convenient	**benri**	**desu**	**benri**	**deshita**
lively	**nigiyaka**	**desu**	**nigiyaka**	**deshita**

Additional Grammar

1. N1 wa N2 ja arimasen deshita.

The past negative form of noun sentences is made as follows:
N ja arimasen ⇒ **N** ja arimasen **deshita**
ex. **Kinō wa yasumi ja arimasen deshita.** *Yesterday wasn't a holiday.*

2. N wa i-adj. (~~i~~ → katta) desu.

The past negative form of i-adj. is made as follows:
samukunai desu ⇒ samukuna**katta** desu : *is not cold ⇒ was not cold*
ex. **Kinō wa samukunakatta desu.** *It wasn't cold yesterday.*

	as predicate: past form					
	aff.			*neg.*		
interesting	**omoshiro**	**katta**	**desu**	**omoshiro**	**kunakatta**	**desu**
enjoyable	**tanoshi**	**katta**	**desu**	**tanoshi**	**kunakatta**	**desu**

3. N wa na-adj. ja arimasen deshita.

The past negative form of na-adj. is made as follows:
shizuka ja arimasen ⇒ shizuka ja arimasen **deshita** : *is not quiet ⇒ was not quiet*
ex. **Resutoran wa shizuka ja arimasen deshita.** *The restaurant wasn't quiet.*

	as predicate: past form				
	aff.		*neg.*		
beautiful / clean	**kirei**	**deshita**	**kirei**	**ja**	**arimasen deshita**
quiet	**shizuka**	**deshita**	**shizuka**	**ja**	**arimasen deshita**

Staying in a Ryokan

A **ryokan** is a Japanese inn where you can receive wonderful service and experience traditional Japan. Most rooms have **tatami** mats on the floor and you sleep on a futon that is laid out for you in the evening. Dinner is served either in your room or in a separate dining room. The menu is set by the **ryokan** and you can enjoy a wide variety of traditional Japanese food, which is fresh, healthy, seasonal and abundant. Most **ryokan**s have communal baths, one for men and another for women. Rates are not charged per room, but per person and breakfast and dinner are usually included. The experience of staying in a **ryokan** will be a great memory for you.
To explain how many nights you would like to stay: 1 night=1-paku (**ippaku**), 2 nights=2-haku (**ni-haku**), 3 nights=3-paku (**san-paku**)....

CD Scripts and Answers for Activities

Lesson 1 First Meetings

P. 3

Hayashi : Hajimemashite.
Hayashi desu.
Dōzo yoroshiku.

You : Hajimemashite.
Green desu.
Dōzo yoroshiku.

P. 5

(1) *You* : Sumimasen. Suzuki-san desu ka?
Mr. ? : Iie.
You : Sumimasen.

(2) *You* : Sumimasen. Suzuki-san desu ka?
Suzuki : Hai, Suzuki desu.
You : Hajimemashite.
Sunny no *Green* desu.
Dōzo yoroshiku.
Suzuki : Hajimemashite.
AA-Bank no Suzuki desu.
Dōzo yoroshiku.

P. 7

CD 7 ***1–Step 2***

a. 2 b. 5 c. 8 d. 9

2

Uchi no denwa-bangō wa 03-5412-2671 desu.

Keitai wa 080-1234-5678 desu.

Lesson 2 Taking a Taxi

P. 13

1

(1) *You* : Roppongi made onegaishimasu.
Driver : Hai.
You : Soko de tomete kudasai.
Reshīto o onegaishimasu.

(2) *You* : Ginza made onegaishimasu.
Driver : Hai.
You : Soko de tomete kudasai.
Reshīto o onegaishimasu.

(3) *You* : Narita-kūkō made onegaishimasu.
Driver : Hai.
You : Soko de tomete kudasai.
Reshīto o onegaishimasu.

(4) *You* : Haneda-kūkō made onegaishimasu.
Driver : Hai.
You : Soko de tomete kudasai.
Reshīto o onegaishimasu.

P. 15

CD 10 ***2–Step 2***

a. 20 b. 90 c. 80 d. 600 e. 300 f. 400

CD 11 ***2–Step 3***

a. ¥210 b. ¥770 c. ¥590 d. ¥840 e. ¥1,100 f. ¥1,660

CD 12 ***2–Step 4***

a. ¥720 (Hai, 720-en desu.)
b. ¥600 (600-en degozaimasu.)
c. ¥890 (Arigatō gozaimasu. 890-en desu.)
d. ¥1,560 (Hai, arigatō gozaimasu. 1,560-en degozaimasu.)

P. 19

1–Step 2

① *You* : Tsugi no kado o migi ni onegaishimasu.
Driver : Hai.
You : Soko de tomete kudasai.
Driver : Hai.

② *You* : Tsugi no kado o hidari ni onegaishimasu.
Driver : Hai.
You : Soko de tomete kudasai.
Driver : Hai.

③ *You* : Tsugi no kōsaten o migi ni onegaishimasu.
Driver : Hai.
You : Soko de tomete kudasai.
Driver : Hai.

④ *You* : Tsugi no kōsaten o hidari ni onegaishimasu.
Driver : Hai.
You : Soko de tomete kudasai.
Driver : Hai.

⑤ *You* : Futatsu-me no kōsaten o migi ni onegaishimasu.
Driver : Hai.
You : Soko de tomete kudasai.
Driver : Hai.

⑥ *You* : Tsugi no kado o migi ni onegaishimasu.
Driver : Hai.
You : Tsugi no kado o hidari ni onegaishimasu.
Driver : Hai.
You : Soko de tomete kudasai.
Driver : Hai.

⑦ *You* : Tsugi no shingō o hidari ni onegaishimasu.
Driver : Hai.
You : Tsugi no kado o migi ni onegaishimasu.
Driver : Hai.
You : Soko de tomete kudasai.
Driver : Hai.

⑧ *You* : Tsugi no shingō o migi ni onegaishimasu.
Driver : Hai.
You : Tsugi no kado o hidari ni onegaishimasu.
Driver : Hai.
You : Tsugi no kado o migi ni onegaishimasu.
Driver : Hai.
You : Tsugi no kōsaten o hidari ni onegaishimasu.
Driver : Hai.
You : Soko de tomete kudasai.
Driver : Hai.

⑨ *You* : Tsugi no kado o migi ni onegaishimasu.
Driver : Hai.
You : Tsugi no kado o hidari ni onegaishimasu.
Driver : Hai.
You : Tsugi no kado o migi ni onegaishimasu.
Driver : Hai.
You : Tsugi no shingō o migi ni onegaishimasu.
Driver : Hai.
You : Soko de tomete kudasai.
Driver : Hai.

P. 20

1–Step 3

a. Kono tōri o massugu onegaishimasu.
Futatsu-me no kado o migi ni onegaishimasu.
Kōsaten o massugu onegaishimasu.
Soko de tomete kudasai.

b. Kono tōri o massugu onegaishimasu.
Futatsu-me no kado o migi ni onegaishimasu.
Kono tōri o massugu onegaishimasu.
Tsugi no kōsaten o migi ni onegaishimasu.
Soko de tomete kudasai.

c. Kono tōri o massugu onegaishimasu.
Futatsu-me no kado o migi ni onegaishimasu.
Futatsu-me no kōsaten o migi ni onegai shimasu.
Tsugi no kado o hidari ni onegaishimasu.
Soko de tomete kudasai.

d. Tsugi no kado o migi ni onegaishimasu.
Tsugi no shingō hidari ni onegaishimasu.
Kado de tomete kudasai.

e. Kono tōri o massugu onegaishimasu.
Futatsu-me no kado o migi ni onegaishimasu.
Futatsu-me no kōsaten o migi ni onegai shimasu.
Tsugi no kado o migi ni onegaishimasu.
Soko de tomete kudasai.

f. Tsugi no kado o migi ni onegaishimasu.
Tsugi no kado o migi ni onegaishimasu.
Tsugi no kado o hidari ni onegaishimasu.
Tsugi no kado o hidari ni onegaishimasu.
Soko de tomete kudasai.

g. Tsugi no kado o migi ni onegaishimasu.
Tsugi no kado o migi ni onegaishimasu.
Tsugi no kado o hidari ni onegaishimasu.

Kono tōri o massugu onegaishimasu.
Soko de tomete kudasai.

h. Tsugi no kado o migi ni onegaishimasu.
Tsugi no kado o migi ni onegaishimasu.
Tsugi no kado o hidari ni onegaishimasu.
Tsugi no kōsaten o migi ni onegaishimasu.
Tsugi no kado o migi ni onegaishimasu.
Soko de tomete kudasai.

i. Tsugi no kado o migi ni onegaishimasu.
Tsugi no kado o migi ni onegaishimasu.
Tsugi no kado o hidari ni onegaishimasu.
Futatsu-me no kōsaten o migi ni onegai shimasu.
Tsugi no kado o migi ni onegaishimasu.
Tsugi no kado o hidari ni onegaishimasu.
Soko de tomete kudasai.

Lesson 3 Getting Fast Food

P. 23

CD 15 ***Step 1***

a. 91 b .166 c. 605 d. 107 e. 35 f. 1,310

CD 16 ***Step 2***

a. 75 (75-en) b. 298 (298-en) c. 703 (703-en) d. 859 (859-en) e. 82 (82-en) f. 1,630 (1,630-en)

CD 17 ***Step 3***

a. ¥180 (Arigatō gozaimasu. 180-en desu.)
b. ¥621 (621-en degozaimasu.)
c. ¥1,105 (Hai, 1,105-en desu. Arigatō gozaimasu.)
d. ¥1,379 (Hai, 1,379-en degozaimasu.)

P. 25

1

(1) Kapuchīno S-saizu o mittsu onegaishimasu. Koko de.
(2) Orenji-jūsu M-saizu o yottsu onegaishimasu. Teikuauto shimasu.
(3) Kyarameru-makiāto L-saizu o hitotsu onegaishimasu. Teikuauto shimasu.
(4) Kōcha S-saizu o futatsu onegaishimasu. Koko de.
(5) Kafe-rate M-saizu o mittsu onegaishimasu. Teikuauto shimasu.
(6) Sandoitchi o mittsu onegaishimasu. Teikuauto shimasu.
(7) Chīzu-kēki o hitotsu onegaishimasu. Koko de.
(8) Chokorēto-kēki o futatsu onegaishimasu. Teikuauto shimasu.

P. 27

CD 20 ***1***

ex. (Ofisu no denwa-bangō wa 03 2689 1873 desu. Uchi wa 045 395 2844 desu. Keitai wa 090 6772 0239 desu.)

a. *office* 03-7922-4501
home 042-913-1758
mobile 080-9589-1623
(Ofisu wa 03 7922 4501 desu. Uchi wa 042 913 1758 desu. Keitai wa... chotto matte kudasai. A, sumimasen. 080 9589 1623 desu.)

b. *office* 045-246-5870
home 03-3941-3925
mobile 090-4192-1880
(Ofisu no denwa-bangō desu ne. Ofisu wa 045 246 5870 desu. Sorekara, uchi wa 03 3941 3925. Sorekara, Keitai desu ne. 090 4192 1880 desu.)

P. 28

2–Step 1

ABC Pizza : O-namae o onegaishimasu.
You : (*Name*) Green desu.
ABC Pizza : Dewa, go-jūsho to o-denwa-bangō o onegaishimasu.
You : (*Address*) Jūsho wa Sendagaya 3-15-7 desu.
(*Telephone No.*) Denwa-bangō wa 5412-2671 desu.

2–Step 2

ABC Pizza : Dewa, go-chūmon o dōzo.
You : *Italian Basil* L-saizu o hitotsu onegaishimasu.
Regular o onegaishimasu.
ABC Pizza : Hai, kashikomarimashita.

Lesson 4 Dining Out

P. 33

(1)

Waiter : Irasshaimase. Nan-mei sama desu ka?
You : Hitori desu.
Waiter : O-tabako wa?
You : Nōsumōkingu-shīto o onegaishimasu.
Waiter : Kochira e dōzo.

(2)

Waiter : Irasshaimase. Nan-mei sama desu ka?
You : San-nin desu.
Waiter : O-tabako wa?
You : Sumōkingu-shīto o onegaishimasu.
Waiter : Kochira e dōzo.

(3)

Waiter : Irasshaimase. Nan-mei sama desu ka?
You : Futari desu.
Waiter : O-tabako wa?
You : Nōsumōkingu-shīto o onegaishimasu.
Waiter : Kochira e dōzo.

(4)

Waiter : Irasshaimase. Nan-mei sama desu ka?
You : Yo-nin desu.
Waiter : O-tabako wa?
You : Sumōkingu-shīto o onegaishimasu.
Waiter : Kochira e dōzo.

P. 35

(1)

You : Sumimsen. Kore wa nan desu ka?
Waitress : Chikin-karē desu.
You : Sō desu ka.
Orenji-jūsu wa arimasu ka?
Waitress : Hai.
You : Ja, chikin-karē to orenji-jūsu o onegaishimasu.

(2)

You : Sumimasen. Kore wa nan desu ka?
Waitress : Chīzu-kēki desu.
You : Sō desu ka.
Aisu-kōhī wa arimasu ka?
Waitress : Hai.
You : Ja, chīzu-kēki to aisu-kōhī o onegaishimasu.

(3)

You : Sumimasen. Kore wa nan desu ka?
Waitress : Yasai-karē desu.
You : Sō desu ka.
Kapuchīno wa arimasu ka?
Waitress : Hai.
You : Ja, yasai-karē to kapuchīno o onegaishimasu.

Lesson 5 Shopping

P. 41

CD 26 ***1***

a. ¥9,800
Customer : Kore wa ikura desu ka?
Shop Clerk : 9,800-en desu.

b. ¥3,100
Customer : Ikura desu ka?
Shop Clerk : Kore wa... 3,100-en desu.

c. ¥25,000
Customer : Sumimasen.
Kore wa ikura desu ka?
Shop Clerk : 25,000-en desu.

2

(1)

You : Sumimasen. Kore wa doko no chīzu desu ka?
Shop Clerk : Furansu no chīzu desu.
You : Ikura desu ka ?
Shop Clerk : 1,200-en desu.
You : Ja, kore o kudasai.

(2)

You : Sumimasen. Kore wa doko no bīru desu ka?
Shop Clerk : Nihon no bīru desu.
You : Ikura desu ka ?
Shop Clerk : 350-en desu.
You : Ja, kore o kudasai.

P. 43

You : Sumimasen. Are o misete

kudasai. (*asking to show*【1】)
Shop Clerk : Hai, dōzo.
You : Kore wa ikura desu ka ?
(*asking the price of*【1'】)
Shop Clerk : 42,000-en desu.
You : Sore wa ikura desu ka ?
(*asking the price of*【2】)
Shop Clerk : 35,000-en desu.
You : Ja, sore o kudasai.
(*purchasing*【2】)

P. 45

(1)
You : Sumimasen.
Batā wa doko desu ka?
Shop Clerk 1 : Achira desu.
You : Dōmo.
You : Sumimasen. Teishibō no batā wa dore desu ka?
Shop Clerk 2 : Kore desu.
You : Anō, chiisai no wa arimasu ka?
Shop Clerk 2 : Hai, arimasu. Dōzo.
You : Dōmo.

(2)
You : Sumimasen. Orību-oiru wa doko desu ka?
Shop Clerk 1 : Achira desu.
You : Dōmo.
You : Sumimasen. Itaria no orību oiru wa dore desu ka?
Shop Clerk 2 : Kore desu.
You : Anō, ōkii no wa arimasu ka?
Shop Clerk 2 : Hai, arimasu. Dōzo.
You : Dōmo.

(3)
You : Sumimasen.
Chīzu wa doko desu ka?
Shop Clerk 1 : Achira desu.
You : Dōmo.
You : Sumimasen. Furansu no chīzu wa dore desu ka?
Shop Clerk 2 : Kore desu.
You : Anō, ōkii no wa arimasu ka?
Shop Clerk 2 : Hai, arimasu. Dōzo.
You : Dōmo.

Lesson 6 Asking about Time

P. 51

CD 30 ***3***

ex. 10 : 10
Passenger : Sumimasen. Tsugi no shinkansen wa nan-ji desu ka?
Station Staff : 10-ji 10-pun desu.

(1) 4 : 30
Passenger : Tsugi no densha wa nan-ji desu ka?
Station Staff : Tsugi wa... 4-ji han desu.

(2) 12 : 50
Passenger : Sumimasen. Narita-kūkō ni ikimasu. Tsugi no densha wa nan-ji desu ka?
Station Staff : Narita- kūkō desu ne. Shōshō omachi kudasai.
··· 12-ji 50-pun desu.

(3) 9:35
Passenger : Sumimasen. Kyōto ni ikimasu. Tsugi no shinkansen wa nan-ji desu ka?
Station Staff : Tsugi no shinkansen desu ne... 9-ji 35-fun desu.

4

(1) *You* : Sumimasen.
Nagoya ni ikimasu. Tsugi no densha wa nan-ji desu ka?
Station Staff : 5-ji han desu.
You : Ja, sore o ni-mai onegaishimasu.

(2) *You* : Sumimasen.
Kyōto ni ikimasu. Tsugi no densha wa nan-ji desu ka?
Station Staff : 5-ji han desu.

You : Ja, sore o san-mai onegaishimasu.

(3) *You* : Sumimasen. Narita-kūkō ni ikimasu. Tsugi no densha wa nan-ji desu ka?

Station Staff : 5-ji han desu.

You : Ja, sore o ichi-mai onegaishimasu.

P. 53

(1) Ranchi wa nan-ji kara desu ka?
(2) *ABC Pizza* wa nan-ji made desu ka?
(3) Sūpā wa nan-ji kara desu ka?
(4) Depāto wa nan-ji made desu ka?

P. 55

1–Step 2

(1) Q : Pūru wa nan-ji kara nan-ji made desu ka?
A : Gozen 9-ji kara gogo 8-ji made desu.
Q : Yasumi wa nan-yōbi desu ka?
A : Moku-yōbi desu.

(2) Q : *J*-resutoran wa nan-ji kara nan-ji made desu ka?
A : Gozen 11-ji kara gogo 10-ji made desu.
Q : Yasumi wa nan-yōbi desu ka?
A : Ka-yōbi desu.

P. 56

2–Step 2

(1) Shigoto wa ku-ji han kara go-ji han made desu.
(2) Hiru-yasumi wa jū-ni-ji kara ichi-ji made desu.
(3) Nihon-go no ressun wa san-ji kara yo-ji made desu.
(4) Pātī wa roku-ji han kara desu.

Lesson 7 Taking Public Transportation

P. 59

1

(1) *You* : Sumimasen. Kono basu wa *Tokyo Dome* ni ikimasu ka?
Driver : Iie, ikimasen.
You : Nan-ban desu ka?
Driver : 2-ban desu.
You : 2-ban desu ne. Arigatō gozaimasu.

(2) *You* : Sumimasen. Kono basu wa Asakusa ni ikimasu ka?
Driver : Iie, ikimasen.
You : Nan-ban desu ka?
Driver : 2-ban desu.
You : 2-ban desu ne. Arigatō gozaimasu.

(3) *You* : Sumimasen. Kono basu wa Shibuya-eki ni ikimasu ka?
Driver : Iie, ikimasen.
You : Nan-ban desu ka?
Driver : 2-ban desu.
You : 2-ban desu ne. Arigatō gozaimasu.

P. 60

CD 34 *2–Step 2*

ex. (1)
Q : Sumimasen. Ginkō wa doko desu ka?
A : Konbini no tonari desu.

(a) (4)
Q : Sumimasen. Takushī-noriba wa doko desu ka?
A : Eki no mae desu.

(b) (6)
Q : Sumimasen. *J-Hotel* wa doko desu ka?
A : Depāto no ushiro desu.

(C) (5)
Q : Sumimasen. Yūbinkyoku wa doko desu ka?
A : Yūbinkyoku wa... eki no migi desu.

(d) (7)
Q : Anō, basutei wa doko desu ka?
A : Depāto no mae desu yo.

(e) (3)
Q : Sumimasen. Byōin wa doko desu ka?
A : Byōin desu ka... A, eki no ushiro desu.
(f) (2)
Q : Anō, sūpā wa doko desu ka?
A : Eki no... hidari desu.

P. 63

(1) *You* : Sumimasen.
Roppongi ni ikitai desu. Dōyatte ikimasu ka?
Station Staff : Marunouchi-sen de Ginza ni ikimasu.
Sorekara, Hibiya-sen de Roppongi ni ikimasu.
You : Roppongi made ikura desu ka?
Station Staff : 160-en desu.
You : Sō desu ka. Arigatō gozaimasu.

(2) *You* : Sumimasen.
Ginza ni ikitai desu. Dōyatte ikimasu ka?
Station Staff : Hanzōmon-sen de Ōtemachi ni ikimasu.
Sorekara, Marunouchi-sen de Ginza ni ikimasu.
You : Ginza made ikura desu ka?
Station Staff : 160-en desu.
You : Sō desu ka. Arigatō gozaimasu.

P. 65

(1) *You* : Sumimasen. *Roppongi Hills* ni ikitai desu.
Doko de orimasu ka?
Driver : *Roppongi Hills* de orimasu.
You : Donokurai kakarimasu ka?
Driver : 15-fun kurai desu.
You : Arigatō gozaimasu.

(2) *You* : Sumimasen. *J-Hotel* ni ikitai desu.
Doko de orimasu ka?
Driver : Kūkō-iriguchi de orimasu
You : Donokurai kakarimasu ka?
Driver : 15-fun kurai desu.
You : Arigatō gozaimasu.

(3) *You* : Sumimasen. Sakura-Byōin ni ikitai desu.
Doko de orimasu ka?
Driver : Sakura-Byōin-mae de orimasu.
You : Donokurai kakarimasu ka?
Driver : 15-fun kurai desu.
You : Arigatō gozaimasu.

Lesson 8 Talking about Schedules and Routines

P. 74

1

(1) doko (2) itsu (3) dare (4) nan

P. 75

2–Step 1

(1) *Green*-san wa 10-ji ni byōin ni ikimasu.
(2) *Green*-san wa mainichi aruite uchi ni kaerimasu.
(3) *Green*-san wa kin-yōbi ni basu de Shinjuku ni ikimasu.
(4) *Green*-san wa 6-ji ni takushī de Roppongi ni ikimasu.
(5) *Green*-san wa do-yōbi ni kazoku to Kyōto ni ikimasu.
(6) *Green*-san wa raishū dōryō to hikōki de Hiroshima ni ikimasu.

CD 39 ***2–Step 2***

ex. Q : *Green*-san wa nichi-yōbi ni doko ni ikimasu ka?
A : Depāto ni ikimasu.
(1) Q : *Green*-san wa 10-ji ni doko ni ikimasu ka?
A : Byōin ni ikimasu.
(2) Q : *Green*-san wa mainichi nan de uchi ni kaerimasu ka?
A : Aruite kaerimasu.
(3) Q : *Green*-san wa itsu Shinjuku ni ikimasu ka?
A : Kin-yōbi ni ikimasu.
Q : Nan de ikimasu ka?

A : Basu de ikimasu.

(4) Q : *Green*-san wa 6-ji ni doko ni ikimasu ka?

A : Roppongi ni ikimasu.

Q : Nan de ikimasu ka?

A : Takushī de ikimasu.

(5) Q : *Green*-san wa dare to Kyōto ni ikimasu ka?

A : Kazoku to ikimasu.

Q : Itsu ikimasu ka?

A : Do-yōbi ni ikimasu.

(6) Q : *Green*-san wa raishū doko ni ikimasu ka?

A : Hiroshima ni ikimasu.

Q : Dare to ikimasu ka?

A : Dōryō to ikimasu.

Q : Nan de ikimasu ka?

A : Hikōki de ikimasu.

P. 77

(1) Kōen de o-bentō o tabemasu.
(2) Ofisu de kōhī o nomimasu.
(3) Resutoran de tenpura o tabemasu.
(4) Konbini de onigiri o kaimasu.
(5) Kōhī-shoppu de jūsu o kaimasu.

P. 79

1

(1) Q : Nani o shimasu ka?
A : Terebi o mimasu.
(2) Q : Nani o shimasu ka?
A : Kutsu o kaimasu.
(3) Q : Nani o shimasu ka?
A : Ongaku o kikimasu.
(4) Q : Nani o shimasu ka?
A : Bīru o nomimasu.
(5) Q : Nani o shimasu ka?
A : Shinbun o yomimasu.
(6) Q : Nani o shimasu ka?
A : Shigoto o shimasu.
(7) Q : Nani o shimasu ka?
A : Nani mo shimasen.

P. 81

2–Step 2

(a) *Green*-san wa uchi de ongaku o kikimasu.
(b) *Green*-san wa (depāto / Akihabara) de kamera o kaimasu.
(c) *Green*-san wa (uchi / resutoran) de ban-gohan o tabemasu.
(d) *Green*-san wa {uchi de terebi o mimasu. / (depāto / Akihabara) de terebi o kaimasu.}
(e) *Green*-san wa kōen de jogingu o shimasu.
(f) *Green*-san wa {uchi de hon o yomimasu. / depāto de hon o kaimasu.}
(g) *Green*-san wa {resutoran de wain o nomimasu. / depāto de tokei o kaimasu. / kōen de sanpo o shimasu.}

2–Step 3

(1) Uchi de Nihon-go no benkyō o shimasu.
(2) Sūpā de shoppingu o shimasu. Sorekara, kōen de tomodachi to tenisu o shimasu.

P. 82

3

(1) 6-ji 15-fun ni shawā o abimasu.
(2) 6-ji han ni shinbun o yomimasu.
(3) 7-ji ni ofisu ni ikimasu.
(4) 9-ji kara 5-ji made shigoto o shimasu.
(5) 12-ji ni hiru-gohan o tabemasu.
(6) 3-ji kara 4-ji made kaigi o shimasu.
(7) 6-ji ni uchi ni kaerimasu.
(8) 7-ji ni ban-gohan o tabemasu.
(9) 8-ji kara 9-ji made benkyō o shimasu.
(10) 9-ji han kara 10-ji han made terebi o mimasu.
(11) 11-ji ni nemasu.

Lesson 9 Socializing

P. 90

Step 1

(1)

A : Issho ni Asakusa ni ikimasen ka?
B : Ii desu ne. Zehi. Itsu ikimasu ka?
A : Do-yōbi wa dō desu ka?
B : Sumimasen. Do-yōbi wa chotto...
A : Sō desu ka. Ja, nichi-yōbi wa dō desu ka?
B : Daijōbu desu.
A : Ja, nichi-yōbi ni ikimashō.

B : Tanoshimi ni shite imasu.

P. 90 *Step 2*

(1)

A : Issho ni eiga o mimasen ka?
B : Ii desu ne. Zehi. Itsu ikimasu ka?
A : Kin-yōbi wa dō desu ka?
B : Sumimasen. Kin-yōbi wa chotto...
A : Sō desu ka. Ja, do-yōbi wa dō desu ka?
B : Daijōbu desu.
A : Ja, do-yōbi ni ikimashō.
B : Tanoshimi ni shite imasu.

(2)

A : Issho ni ban-gohan o tabemasen ka?
B : Ii desu ne. Zehi. Itsu ikimasu ka?
A : Konban wa dō desu ka?
B : Sumimasen. Konban wa chotto...
A : Sō desu ka. Ja, ashita no yoru wa dō desu ka?
B : Daijōbu desu.
A : Ja, ashita no yoru ikimashō.
B : Tanoshimi ni shite imasu.

(3)

A : Issho ni tenisu o shimasen ka?
B : Ii desu ne. Zehi. Itsu ikimasu ka?
A : Do-yōbi wa dō desu ka?
B : Sumimasen. Do-yōbi wa chotto...
A : Sō desu ka. Ja, nichi-yōbi wa dō desu ka?
B : Daijōbu desu.
A : Ja, nichi-yōbi ni ikimashō.
B : Tanoshimi ni shite imasu.

(4)

A : Issho ni hiru-gohan o tabemasen ka?
B : Ii desu ne. Zehi. Itsu ikimasu ka?
A : Ashita wa dō desu ka?
B : Sumimasen. Ashita wa chotto...
A : Sō desu ka. Ja, moku-yōbi wa dō desu ka?
B : Daijōbu desu.
A : Ja, moku-yōbi ni ikimashō.
B : Tanoshimi ni shite imasu.

P. 91 *Step 3*

A : (1) Jazu ga suki desu ka?
B : (2) Hai, suki desu.
A : (3) Ii raibu-hausu o shitte imasu. Issho ni ikimasen ka?
B : (4) Ii desu ne. Zehi. Itsu ikimasu ka?
A : (5) Do-yōbi wa dō desu ka?
B : (6) Sumimasen. Do-yōbi wa chotto...
(7) Nichi-yōbi wa dō desu ka?
A : (8) Daijōbu desu.
(9) Ja, nichi-yōbi ni ikimashō.
B : (10) Tanoshimi ni shite imasu.

P. 93

A : Nomimono wa nan ni shimasu ka?
B : Nihonshu hiya ni shimasu.
A : Sushi wa nan ni shimasu ka?
B : Toro to ikura ni shimasu.

P. 96

1–Step 3

(1) shi-gatsu ni-jū go-nichi
(2) shichi-gatsu san-jū-nichi
(3) ku-gatsu jū hachi-nichi
(4) jū ichi-gatsu ni-jū ku-nichi
(5) ichi-gatsu yokka
(6) hachi-gatsu jū yokka
(7) go-gatsu yōka
(8) ni-gatsu tōka
(9) jū-gatsu mikka
(10) san-gatsu muika
(11) roku-gatsu nanoka
(12) jū ni-gatsu tsuitachi

2–Step 2

(1) Jū shichi-nichi ni Roppongi de pātī ga arimasu.
(2) Jū ku-nichi ni Shibuya de konsāto ga arimasu.
(3) Ni-jū yokka ni Asakusa de matsuri ga arimasu.
(4) Ni-jū hachi-nichi ni Ginza de sōbetsu-kai ga arimasu.
(5) San-jū-nichi ni Sendagaya de sakkā no shiai ga arimasu.

Lesson 10 Talking about Leisure Time

P. 101

1

(1) Hai, ikimashita.
(2) Iie, shimasen deshita.
(3) Iie, mimasen deshita.
(4) Hai, yomimashita.
(5) Hai, shimashita.
(6) Iie, kaimasen deshita.

P. 102

2–Step 1

(1) Jimu ni ikimashita.
(2) Yoga o shimashita.
(3) Tomodachi to tabemashita.
(4) Wain o nomimashita.
(5) Takushī de kaerimashita.
(6) 1-ji ni nemashita.
(7) Iie, shimasen deshita.

P. 103

2–Step 2

(1) Sorekara, jimu ni ikimashita.
(2) Jimu de yoga o shimashita.
(3) Sorekara, tomodachi to ban-gohan o tabemashita.
(4) Bā de wain o nomimashita.
(5) Sorekara, takushī de uchi ni kaerimashita.
(6) 1-ji ni nemashita.
(7) Nihon-go no benkyō o shimasen deshita.

2–Step 3

(1) 7-ji made shigoto o shimashita.
(2) Sorekara, Ginza ni ikimashita.
Ginza de shoppingu o shimashita.
Kutsu o kaimashita.
(3) 9-ji ni uchi ni kaerimashita.
(4) Ban-gohan o tabemashita.
Sorekara, terebi o mimashita.
(3) 11-ji han ni nemashita.

P. 105

1–Step 1

(1) Nigiyaka deshita.
(2) Tanoshikatta desu.
(3) Oishikatta desu.
(4) Shizuka deshita.
(5) Yokatta desu.
(6) Samukatta desu.
(7) Kirei deshita.

P. 106

1–Step 2

(1) Matsuri o mimashita. Nigiyaka deshita.
(2) Tenisu o shimashita. Tanoshikatta desu.
(3) Sushi o tabemashita. Oishikatta desu.
(4) O-tera ni ikimashita. Shizuka deshita.
(5) Jazu o kikimashita. Yokatta desu.
(6) Hokkaidō ni ikimashita. Samukatta desu.
(7) Yuki o mimashita. Kirei deshita.

2

(1) Hai, Okinawa ni ikimashita. / Iie, doko mo ikimasen deshita.
(2) Daibingu o shimashita. / Uchi de hon o yomimashita.
(3) Tanoshikatta desu. Umi wa totemo kirei deshita. / Omoshirokatta desu.

« Japanese — English Glossary »

A		
AA-Bank	(company's name)	4
achira	polite expression of 'asoko' (= there, over there)	44
aida	between	61
aimasu	to meet	94
aisu-kōhī	iced coffee	25
aisu-kurīmu	ice cream	25
aisu-tī	iced tea	77
aka	red	47
aka-wain	red wine	36, 41
Akihabara	(place name)	78
akusesarī	accessory	46
amai	sweet	35
ame	rain	104
Amerika	U.S.A	8, 41
Amerika-jin	American	8
anago	conger eel	93
ane	my older sister	86
ani	my older brother	86
anō	ah...	44
ao	blue	47
apo	appointment	83
apo o torimasu	to make an appointment	83
are	that one over there (an object far from both the speaker and the listener)	42
arerugī	allergy	37
Arigatō gozaimashita.	Thank you.	12
Arigatō gozaimasu.	Thank you.	xiii
arimasu	to have	34
arimasu	there is/are going to be	94
aruite	on foot	73
asa	morning	56
asa-gohan	breakfast	80
Asakusa	(place name)	59
ashita	tomorrow	52, 56
ashita no asa	tomorrow morning	56
ashita no ban	tomorrow evening, tomorrow night	56
ashita no yoru	tomorrow evening, tomorrow night	56
asoko	over there	58
Atatakai desu.	It is warm.	107
Atatakakatta desu.	It was warm.	107
atatamemasu	to heat	22
Atsui desu.	It is hot.	107
atsukatta desu	was / were hot	105,107

B		
bā	bar	102
baggu	bag	46
ban	evening, night	56
ban (~ ban)	No. ~	58
ban-gohan	dinner	80
basu	bus	51
basutei	bus stop	21, 58
batā	butter	45
bejitarian	vegetarian	37
bengoshi	lawyer	8
benkyō o shimasu	to study	80
benrina	convenient	93
bīfu-karē	beef curry	34
bīru	beer	34, 36
bōto ni norimasu	to get on a boat	107
buka	subordinate	83
bunbōgu	stationery	46
byōin	hospital	21, 59

C		
chairo	brown	47
chichi	my father	86
chiisai	small	45
chika	basement	46
chikaku	vicinity	59
chikatetsu	subway	59
chikin-karē	chicken curry	34
chīzu	cheese	41
chīzu-kēki	cheese cake	24
chokorēto-kēki	chocolate cake	25
chotto	a little bit	72
Chūgoku	China	8
Chūgoku-go	Chinese language	8
Chūgoku-jin	Chinese	8
chūmon	order	26
chūshajō	parking	46

D		
daibingu o shimasu	to dive	107
Daijōbu desu.	That's fines. / No problem.	88
dare	who	72
de	at (particle)	12
de	by means of (particle)	62
degozaimasu	polite expression of 'desu' (= be)	26
dejikame	digital camera	43
dekimasu	to be done	52
demo	but	76
densha	train	51
denwa-bangō	telephone number	6
depāto	department store	46, 53
deshita	was / were	104
desu	to be (is/am/are)	2
dewa	then	26
dezāto	dessert	93
dinā	dinner	53
dō	how	88
Dō deshita ka?	How was it?	104
Doitsu	Germany	8
Doitsu-go	German language	8
Doitsu-jin	German	8
doko	where	40
Doko de orimasu ka?	Where should I get off?	64
Doko mo ikimasen deshita.	I didn't go anywhere.	104
dokoka	anywhere	104
Dokoka ikimashita ka?	Did you go anywhere?	104
Dōmo.	Thanks.	xiii, 12
donokurai	how long	64
doraibu o shimasu	to take a drive	107
dore	which	44
doresshingu	dressing	47
dōryō	colleague	75, 83
dōyatte	how	62
Dōyatte ikimasu ka?	How can I get there?	62
do-yōbi	Saturday	55
Dōzo.	Please.	xiii
Dōzo yoroshiku.	Nice to meet you.	2

E		
ē	yes	92
earobi	aerobics	55
ebi	shrimp, prawn	93
eiga	film, movie	78
Eigo	English language	8
eki	station	12
eki-in	station staff	50
en (~ en)	yen (~ yen)	12
enjinia	engineer	8
erebētā	elevator, lift	46
esukarētā	escalator	46

F		
ferī ni norimasu	to get on a ferry	107
fōku	fork	29
fujin-fuku	women's clothes	46
fuku	clothes	80
fukuro	bag	29

jū ni-gatsu (12-gatsu)	December	95
juppun (10-pun)	ten minutes	51
jū-roku (16)	sixteen	14
jū-san (13)	thirteen	14
jū-shi (14)	fourteen	14
jū-shichi (17)	seventeen	14
jūsho	address	26
jūsu	juice	36
jū yokka	the fourteenth (of the month)	95
jū-yon (14)	fourteen	14

K

ka	(particle), [question marker]	4
kaban	bag	46, 80
kado	corner	13
kaerimasu	to go home, to return	72
kafe-moka	caffé mocha	25
kafe-rate	caffé latte	25
kagu	furniture	46
kai (~ kai)	floor (~ th floor)	46
kaidan	staircase	46
kaigi	meeting	56
kaigi o shimasu	to have a meeting	80
kaikeishi	accountant	8
kaimasu	to buy	76
kaisatsu-guchi	ticket gate	94
kaisha	company	7
kaisha-in	company employee	8
kakarimasu	to take (time)	64
kamera	camera	80
Kanada	Canada	8
Kanada-jin	Canadian	8
kanai	my wife	86
Kankoku	R. of Korea	8
Kankoku-go	Korean language	8
Kankoku-jin	Korean	8
kanzume	canned food	47
kapuchīno	cappuccino	25
kara	from (particle)	52
kara tōi desu. (~ kara tōi desu.)	far from ~	72
karai	hot, spicy	34
karē	curry	34
Kashikomarimashita.	Certainly.	26
ka-yōbi	Tuesday	54
kazoku	family	73
keitai	mobile phone	6
kesa	this morning	56
keshōhin	cosmetics	46
kikimasu	to hear, listen	78
kimasu	to come	42
kinō	yesterday	56, 100
kinō no asa	yesterday morning	56
kinō no ban	yesterday evening, last night	56
kinō no yoru	yesterday evening, last night	56
kin-yōbi	Friday	55
kirei deshita	was / were beautiful	104
kireina	beautiful	92
kita-guchi	north exit	21
kōban	police box	21, 59
kōcha	English tea	25, 36
kochira	this way	32
kochira	polite expression of 'kore' (= this)	34
Kochira e dōzo.	This way, please.	32
kodomo	my child / children	86
kodomo to asobimasu	to play with children	107
kodomo-fuku	children's clothes	46
kōen	park	21, 77
kōhī	coffee	24, 36
kōhī-shoppu	coffee shop	77
koko	here	13
kokonoka	the ninth (of the month)	95
kome	rice	47
komugiko	wheat flour	47
konban	this evening, tonight	56, 81
Konbanwa.	Good evening.	xii
konbini	convenience store	21, 59
kondo no	this coming...	81
kongetsu	this month	98
Konnichiwa.	Hello. / Good afternoon.	xii
kono	this	16
konsāto	concert	94
konshū	this week	56
kopī o shimasu	to copy	83
kore	this	34
kōsaten	crossing	17
kotoshi	this year	98
ku (9)	nine	7
kudamono	fruit	47
kudasai	please give me	40
ku-gatsu (9-gatsu)	September	95
ku-ji (9-ji)	nine o'clock	51
kūkō	airport	13
kurai (~ kurai)	about ~	64
kurasu	class	54
kurejitto-kādo	credit card	40
Kurejitto-kādo wa *OK* desu ka?	Do you accept credit cards?	40
kurīningu-ya	laundry	53
kuro	black	47
kuruma	car	73
kutsu	shoes	46, 79
kyarameru-makiāto	caramel macchiato	25
kyō	today	56
kyonen	last year	98
Kyōto	(place name)	51
kyū (9)	nine	7
kyū-hyaku (900)	nine hundred	14
kyū-jū (90)	ninety	14
kyū-sen (9,000)	nine thousand	14

M

made	as far as, up to (particle)	12
made	until (particle)	52
mae	front	58
maguro	tuna	93
mai (~ mai)	(counting word for thin and flat things)	50
maiasa	every morning	56
maiban	every evening, every night	56
mainichi	everyday	56, 75
maishū	every week	56
maitoshi	every year	98
maitsuki	every month	98
Marunouchi-sen	Marunouchi Line	63
massugu	straight	16
massugu	straight, directly	72
Massugu uchi ni kaerimasu.	to go home directly (from)	72
mata	again	42
matsuri	festival	95
mega (~ mega)	mega (pixels) (~ mega)	42
megane	glasses	46, 80
mēru	email	83
mēru o shimasu	to email	83
midori	green	47
migi	right	16
mikka	the third (of the month)	95
mimasu	to watch, look, see	78
minami-guchi	south exit	21
mise	restaurant, shop	92
miso	soy bean paste	47
mittsu	three	25
mizu	water	36
mo	also, too, as well (particle)	42
moku-yōbi	Thursday	55
muika	the sixth (of the month)	95

rajio	radio	80
rāmen	Chinese noodles in soup	36
ranchi	lunch (time)	53
rei (0)	zero	7
reitō-shokuhin	frozen food	47
renkyū	successive holiday	105
reshīto	receipt	12
Reshīto o onegaishimasu.	Receipt, please.	12
ressun	lesson	56
resutoran	restaurant	46
rinsu	conditioner	47
roku (6)	six	7
roku-gatsu (6-gatsu)	June	94
roku-ji (6-ji)	six o'clock	51
roku-jū (60)	sixty	14
roku-sen (6,000)	six thousand	14
Roppongi	(place name)	13
Roppongi Hills	(place name)	58
roppyaku (600)	six hundred	14
ryokan ni tomarimasu	to stay at a ryokan	107
ryōri o shimasu	to cook	107
ryōshin	my parents	86

S

sāfin o shimasu	to surf	107
saizu	size	24
sakana	fish	37, 47
sakkā o shimasu	to play football	80
Sakura-Byōin	Sakura Hospital	65
Samui desu.	It is cold.	107
samukatta desu	was / were cold	104, 107
san	Mr., Mrs.,Ms., and Miss (suffix)	4
san (3)	three	7
san-byaku (300)	three hundred	14
sandoitchi	sandwich	25, 36
san-gatsu (3-gatsu)	March	95
san-ji (3-ji)	three o'clock	50
san-jū (30)	thirty	14
san-jū go-fun (35-fun)	thirty five minutes	51
san-juppun (30-pun)	thirty minutes	51
san-nin (3-nin)	three people	33
sanpo o shimasu	to take a walk	80
san-zen (3,000)	three thousand	14
sarada	salad	36
sarada-oiru	salad oil	47
satō	sugar	47
Sayōnara.	Good bye.	xii
sen (1,000)	one thousand	14
Sendagaya	(place name)	26
sengetsu	last month	98
senshū	last week	56
sentaku o shimasu	to wash, to do laundry	107
senzai	detergent	47
sēru	sale	95
shanpū	shampoo	45, 47
shashin o torimasu	to take a photo	107
shawā o abimasu	to take a shower	82
shi (4)	four	7
shiai	game, match	96
Shibuya-eki	Shibuya Station	12
shichi (7)	seven	7
shichi-gatsu (7-gatsu)	July	95
shichi-ji (7-ji)	seven o'clock	51
shi-gatsu (4-gatsu)	April	95
shigoto	work	56
shigoto o shimasu	to work	79
shimashita	did (past tense of 'shimasu')	100
shimasu	to do	78
shinbun	newspaper	79
shingō	traffic light	16
Shinjuku	(place name)	13
shinkansen	bullet train	50
Shin-Ōsaka	(station name)	50
shinshi-fuku	men's clothes	46
shio	salt	47
shiro	white	47
shiro-wain	white wine	36, 41
shiryō	material, data	83
shiryō no kopī o shimasu	to copy material(s)	83
shiryō o tsukurimasu	to make material(s)	83
shiryō o yomimasu	to read material(s)	83
shita	under, below	61
shizuka deshita	was / were quiet	105
shizukana	quiet	93
shokki	table ware	46
shokuji o shimasu	to have a meal	80
shokuryōhin	food	46
shoppingu	shopping	78
shoppingu o shimasu	to go shopping	80
shorui	document	83
Shōshō omachi kudasai.	Please wait a moment.	32
shōyu	soy sauce	47
shujin	my husband	86
shūmatsu	weekend	81
shutchō	business trip	83
shutchō o shimasu	to go on a business trip	83
Sō desu ka.	I see.	34
Sō desu ne.	I agree.	76
Sō desu nē...	Well...	78
soba	soba, buckwheat noodles	36
sōbetsu-kai	farewell party	96
sobo	my grandmother	86
sochira	polite expression of 'soko' (= there)	22
Sochira de omachi kudasai.	Please wait there.	22
sofu	my grandfather	86
sōji o shimasu	to clean	107
soko	there	12
sono ato	after that, then	72
sono tsugi	after the next one	50
sore	that one (an object near to the listener)	42
sorekara	and also	24
sorekara	and then	62
su	vinegar	47
sui-yōbi	Wednesday	54
sukī o shimasu	to ski	107
Sumimasen.	Excuse me. / I'm sorry.	xiii, 4
sumōkingu-shīto	smoking seat	33
Sunny	(company's name)	4
sunōbōdo o shimasu	to snowboard	107
sunōkeringu o shimasu	to snorkel	107
sūpā	supermarket	53
Supein	Spain	8, 40
Supein-go	Spanish language	8
Supein-jin	Spanish	8
sūpu	soup	36
supūn	spoon	29
sushi	sushi	36, 88
sushi-ya	sushi restaurant	88
Suzuki	(surname)	4
Suzushii desu.	It is cool.	107
Suzushikatta desu.	It was cool.	107

T

tabemasu	to eat	76
takai	expensive	41
tako	octopus	93
takusan	a lot	104

各課の項目一覧　■Stage 1 : Survival (L1-7)　■Stage 2 : Ice Breaking (L8-10)

Lesson	Grammer Notes	Additional Grammer	学習項目	助 詞
1 First Meetings	**1** (N1)は(N2)です。 **2** (S)か。 **3** (N1)の(N2)	名詞文(否定)	名詞文(肯定) 疑問文 はい、いいえ 数字(1～10) 電話番号	は (topic marker) か (question marker) の (B from A) の (possessive marker) ね (sentence ending particle)
2 Taking a Taxi			数字(11～) 値段<1>(10円単位)	まで (as far as, up to) で (at) と (and) を (along, at) に (direction marker)
3 Getting Fast Food	**1** (N)を(数)お願いします。		値段<2> 数詞(～つ) 住所	を (object marker)
4 Dining Out	**1** これは(N)です。 ・ 形容詞<1> **2** (N)は(い形容詞)です。 **3** (い形容詞)(N)【L5】 **4** ね/よ	い形容詞(否定)	数詞(～人) い形容詞(叙述)	よ (sentence ending particle)
5 Shopping	**1** 疑問詞まとめ (何、いくら、どこ、どれ) **2** (N)も **3** これ・それ・あれ **4** そうですか。		これ・それ・あれ い形容詞(修飾)	も (also, too, as well)
6 Asking about Time	**1** ～時～分 **2** (N1)から(N2)まで **3** (N)は～曜日です。		時間(～時～分) 曜日 数詞(～枚)	から (from) まで (until)
7 Taking Public Transportation	**1** ここ・そこ・あそこ **2** (N1)は(N2:場所)です。 **3** (N1)の(N2:位置)です。 **4** (場所)に行きます／行きません。 **5** (乗り物)で **6** どうやって		ここ・そこ・あそこ 位置詞 動詞(行く)	に (direction marker)【L2】 で (by means of)
8 Talking about Schedules and Routines	**1** (時)に **2** (人)と **3** (V)ます **4** (N)を(V) **5** (場所)で(N)を(V) **6** いつも、よく、時々、あまり～ない、全然～ない		【基本動詞】 ・行く【L7】 ・帰る・来る ・食べる・飲む・買う ・読む・見る・聞く ・する ～を～ます (場所)で～ます	に (time marker) と (with) を (object marker)【L3】 で (at)【L2】
9 Socializing	**1** (N1)は(N2)が好きです。 **2** (場所)で(出来事)があります。 **3** (V)ませんか。 **4** (N)はどうですか。 **5** (V)ましょう。 ・ 形容詞<2> **6** (な形容詞)(N) **7** (N)は(な形容詞)です。 **8** (N)にします。 **9** (N)は～月～日です。 **10** 時の疑問詞まとめ	な形容詞(否定)	～ませんか ～はどうですか ～ましょう ～が好きです ～にします な形容詞(叙述・修飾) (出来事)があります 月日	が (subject marker)
10 Talking about Leisure Time	**1** (V)ました/ませんでした **2** どこか/何か **3** (N1)は(N2)でした。 **4** (N)は(い形容詞:過去) **5** (N)は(な形容詞:過去)	名詞文の過去否定 い・な形容詞の過去否定	動詞の過去・過去否定 い・な形容詞の過去 名詞文の過去	

疑問詞	Dialogue	Key Sentence	Cultural Information
	1 オフィスで	**1** (わたしは)グリーンです。	*Exchanging Business Cards *Seating Arrangement Customs
	2 ホテルのロビーで	**1** 鈴木さんですか。 **2** サニーのグリーンです。	
	3 会議室で	**1** オフィスの電話番号です。 **2** 携帯は090-1234-5678です。	
	1 タクシーで Ⅰ	**1** 渋谷駅までお願いします。 **2** そこで止めてください。	*Taxi Receipts
	2 タクシーで Ⅱ	**1** この通りをまっすぐお願いします。	
	1 コンビニで		*O-bentō at Konbini *How to Give Your Address in the Japanese Way
	2 コーヒーショップで	**1** コーヒーLサイズをお願いします。 **2** チーズケーキを2つお願いします。	
	3 ピザの電話注文	**1** 住所は千駄ヶ谷3-15-7です。	
(何名様) 何(なん)	**1** レストランの入り口で	**1** ノースモーキングシートをお願いします。	*Menu in Japanese *Kanji Signs Often Seen in a Restaurant
	2 レストランのテーブルで	**1** これはカレーですか。 **2** ビーフカレーはありますか。 **3** (これは)からいですか。	
どこ(のN) いくら どこ(ですか) どれ	**1** ワインショップで	**1** これはスペインのワインですか。 **2** (これは)いいワインです。 **3** (これは)いくらですか。 **4** これをください。	*Exchanging Gifts
	2 デジカメ売り場で	**1** あれを見せてください。 **2** それも10メガですか。	
	3 スーパーで	**1** ヨーグルトはどこですか。 **2** 低脂肪のヨーグルトはどれですか。 **3** 大きいのはありますか。	
何時 いつ 何曜日	**1** 駅の切符売り場で	**1** 次の新幹線は何時ですか。	
	2 クリーニング屋で	**1** (クリーニング屋は)何時からですか。 **2** (クリーニング屋は)何時までですか。	
	3 スポーツクラブの受付で	**1** ここは何時から何時までですか。 **2** 休みは何曜日ですか。	
どうやって どのくらい	**1** 道で	**1** (わたしは)六本木ヒルズに行きます。 **2** (バス停は)あそこです。 **3** (バス停は)デパートの前です。 **4** このバスは六本木ヒルズに行きますか。	*Prepaid Cards
	2 駅で	**1** (わたしは)浅草に行きたいです。 **2** 日比谷線で銀座に行きます。 **3** 浅草までいくらですか。	
	3 バスターミナルで	**1** (ここから東京タワーまで)どのくらいかかりますか。	
誰 何(なに)	**1** オフィスで	**1** 1時に名古屋のJフーズに行きます。 **2** 誰と行きますか。 **3** 何で行きますか。	*Typical Japanese Gestures
	2 昼休み、エレベーターホールで	**1** お弁当を買います。 **2** レストランで昼ごはんを食べます。	
	3 金曜の午後、オフィスで	**1** 何をしますか。 **2** 何もしません。	
どう 何月 何日	**1** オフィスで	**1** 一緒に行きませんか。 **2** 明日はどうですか。 **3** 行きましょう。	*'Chotto...' *Taboos with the Use of Chopsticks
	2 すし屋で	**1** きれいな店です。 **2** 飲み物は何にしますか。	
	3 コーヒーショップで	**1** 六本木でジャズのコンサートがあります。 **2** (コンサートは)6月15日です。	
	1 エレベーターホールで	**1** ジムに行きました。 **2** (ジムに)行きませんでした。	*Staying in a Ryokan
	2 オフィスで	**1** (京都は)おもしろかったです。 **2** (お寺は)きれいでした。 **3** 日曜日は雨でした。	

編著　JALアカデミー株式会社

執筆・制作　山田 和美
重野 美枝

制作補助・監修　勢 裕子
田辺 栄
大島 有貴

総合監修　綿引 眞知子

NIHONGO Breakthrough
From survival to communication in Japanese

2009年2月28日 初版発行
本体価格 1,900円（税別）

DTP・レイアウト　ティープロセス
イラスト　花色木綿
ナレーション　都さゆり
大山尚雄
録音・編集　スタジオグラッド
編集　アスク出版
装幀・デザイン　市川貴司
印刷・製本　株式会社廣済堂

編著　JALアカデミー株式会社
発行　JALアカデミー株式会社
〒151-0051 東京都渋谷区千駄ヶ谷 3-15-7
TEL 03-5412-2671
発行人　久野 哲
発売　株式会社アスク出版
〒162-8558 東京都新宿区下宮比町 2-6
TEL 03-3267-6864　http://www.ask-digital.co.jp

Printed in Japan
ISBN978-4-87217-692-6 C0081 ¥1900E

NIHONGO

Breakthrough

From survival to communication in Japanese

Separate Volume — 別 冊

- Illustrations for Survival Dialogues
- Appendixes

JALアカデミー

L1-D1
At the Office

② How do you do. I'm Green. Nice to meet you.

L1-D3
In a Meeting Room

① This is my office phone number.

② My mobile phone number is 090-1234-5678.
④ Yes.

L1-D2
In a Hotel Lobby

① Excuse me. Are you Mr. Suzuki?

③ I'm sorry.

④ Excuse me. Are you Mr. Suzuki?

⑥ How do you do. I'm Green from Sunny.
Nice to meet you.

L2-D1
In a Taxi - I

① Shibuya Station, please.

③ Excuse me. Stop there, please.

⑥ Here you are.
Could you give me a receipt, please?

⑧ Thanks.

L2-D2
In a Taxi - II

① Shibuya, please.

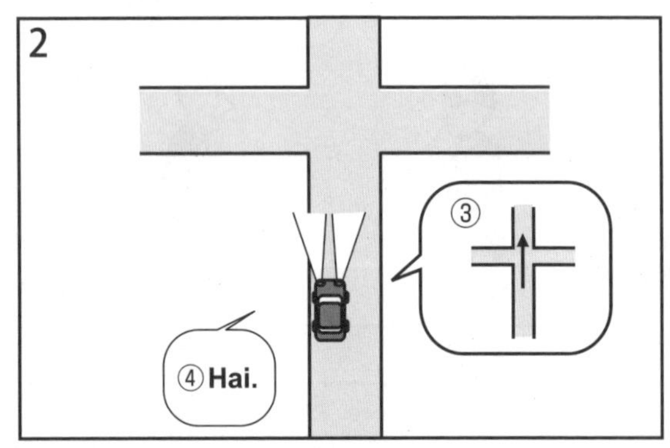

③ Go straight along this street, please.

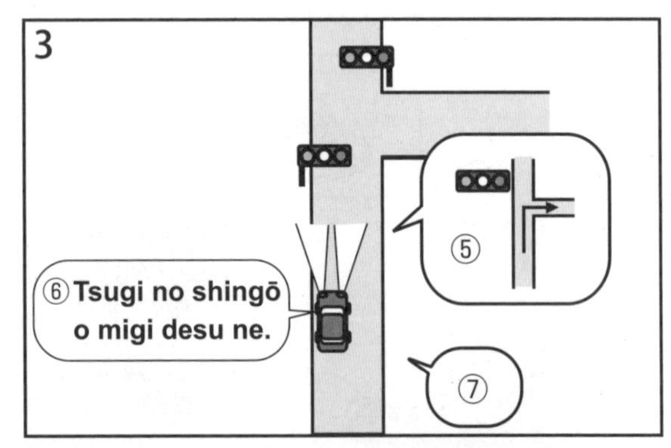

⑤ Excuse me. Turn right at the next traffic light, please.
⑦ Yes, please.

⑧ Excuse me. Stop there, please.

L3-D1
At a Convenience Store

② I'll take this.

④ Yes, please.

⑦ Thanks.

L3-D2
At a Coffee Shop

② L-size coffee, please. And two cheese cakes, please.
They are to go.

④ Here you are.

⑦ Thanks.

L3-D3

Ordering Pizza by Telephone

② *May I order, please?*

④ *My name is Green.*

⑥ *My address is 3-15-7 Sendagaya.*
My phone number is 5412-2671.

⑧ *I'd like one M-size seafood, please.*
Crispy type, please.

L4-D1

At the Entrance of a Restaurant

② *Two.*

④ *Non-smoking seats, please.*

L4-D2

At a Table in a Restaurant

① *Excuse me.*

③ *Is this curry?*

⑤ *What is this?*

⑦ *I see. Is it hot?*

⑨ *Do you have beef curry?*

⑪ *Then, I'd like one beef curry and one beer, please.*

L5-D1

At a Wine Shop

① *Excuse me. Is this Spanish wine?*

3

③ FROM WHERE?

③ *Where is this wine from?*

⑤ *How much is it?*

⑦ *Then, this one, please. Do you accept credit cards?*

L5-D2
At a Digital Camera Department

① Excuse me. Could you show me that one over there?

③ How many megapixels is this?

⑤ Is that also 10 mega?

⑦ How much is it?

⑨ Really? It's so expensive!

⑩ Well...(I'm afraid I don't like it so much.) I'll come back

L5-D3
At a Supermarket

① Excuse me. Where can I find yogurt?
③ Thanks.

④ Which one is low-fat yogurt?

⑥ Ah...Do you have any larger ones?
⑧ Thanks.

L6-D1
At a Station Ticket Office

① Excuse me. I'm going to Shin-Osaka.
What time is the next Shinkansen?

③ I see...What time is the train after the next one?

⑤ Then, one ticket for that train, please.

L6-D2
At a Laundry

① Excuse me. Dry-cleaning, please.
When will it be ready?

③ I see. Well...what time do you open tomorrow?

⑤ What time do you close?

⑦ I see. Then, I'll come tomorrow evening.

L6-D3
At a Sports Club Reception

① Excuse me. What time do you open and close?

③ On what day of the week are you closed?

⑤ Do you have yoga classes?

⑦ What time do they start and finish?

L7-D1

On the Street

① *Excuse me.*

② *I'm going to Roppongi Hills.*
Could you tell me where the bus stop is?

④ *I see. Thank you very much.*

At a Bus Stop

① *Excuse me. Does this bus go to Roppongi Hills?*

③ *Which number does?*

⑤ *No. 51, right? Thank you very much.*

L7-D2
At a Station

① Excuse me. I'd like to go to Asakusa.
How can I get there?

③ How much is it to Asakusa?

⑤ OK. Thank you.

L7-D3
At a Bus Terminal

① Excuse me. I'd like to go to Tokyo Tower.

② Where should I get off?

④ How long does it take?

⑥ Thank you very much.

Appendixes

Particles

Particles		Examples	Lesson
wa *[topic marker]*	1.	Watashi **wa** *Green* desu.	1
	2.	Watashi **wa** *Roppongi Hills* ni ikimasu.	7
	3.	*J-Café* no kōhī **wa** oishii desu.	8
ka *[question marker]*	1.	Suzuki-san desu **ka**?	1
	2.	(Kore wa) ikura desu **ka**?	5
no *A no B (= B from A / B of A)*	1.	*Sunny* **no** *Green* desu.	1
	2.	Ofisu **no** denwa-bangō desu.	1
	3.	Kore wa Supein **no** wain desu ka?	5
	4.	Basutei wa depāto **no** mae desu.	7
o *along, at / [object marker]*	1.	Kono tōri **o** massugu onegaishimasu.	2
	2.	O-bentō **o** kaimasu.	8
ni *[direction marker]* *[time marker]*	1.	Tsugi no shingō o migi **ni** onegaishimasu.	2
	2.	Watashi wa *Roppongi Hills* **ni** ikimasu.	7
	3.	5-ji **ni** Roppongi-eki no kaisatsu-guchi de aimashō.	9
de *by means of / at*	1.	Hibiya-sen **de** Ginza ni ikimasu.	7
	2.	Resutoran **de** hiru-gohan o tabemasu.	8
to *and / with*	1.	Bīfu-karē **to** bīru o onegaishimasu.	4
	2.	Yamamoto-san **to** ikimasu.	8
kara *from*	1.	Kurīningu-ya wa nan-ji **kara** desu ka?	6
	2.	Koko **kara** *Tokyo Tower* made donokurai kakarimasu ka?	7
made *as far as, up to / until*	1.	Shibuya **made** onegaishimasu.	2
	2.	Kurīningu-ya wa nan-ji **made** desu ka?	6
mo *also, too, as well*	1.	Sore **mo** 10-mega desu ka?	5
ga *[subject marker]*	1.	Roppongi de jazu no konsāto **ga** arimasu.	9
ne *[sentence ending particle]*	1.	090-1234-5678 desu **ne**?	1
yo *[sentence ending particle]*	1.	Kore wa oishii desu **yo**.	4

Question Words

Question Words	Meanings		Examples	Lesson
nan	*what*	1.	Kore wa **nan** desu ka?	4
		2.	**Nan** de ikimasu ka?	8
		3.	Nomimono wa **nan** ni shimasu ka?	9
nani		1.	**Nani** o shimasu ka?	8
ikura	*how much*	1.	Kore wa **ikura** desu ka?	5
doko	*where*	1.	Yōguruto wa **doko** desu ka?	5
		2.	Kore wa **doko** no wain desu ka?	5
		3.	**Doko** ni ikimasu ka?	8
dore	*which*	1.	Teishibō no yōguruto wa **dore** desu ka?	5
itsu	*when*	1.	**Itsu** dekimasu ka?	6
		2.	**Itsu** desu ka?	9
nan-ji	*what time*	1.	Tsugi no shinkansen wa **nan-ji** desu ka?	6
		2.	Koko wa nan-ji kara **nan-ji** made desu ka?	6
		3.	**Nan-ji** ni resutoran ni ikimasu ka?	8
nan-yōbi	*what day of the week*	1.	Yasumi wa **nan-yōbi** desu ka?	6
		2.	**Nan-yōbi** ni Ōsaka ni ikimasu ka?	8

dōyatte	*how*	1.	**Dōyatte** ikimasu ka?	7
donokurai	*how long*	1.	Koko kara *Tokyo Tower* made **donokurai** kakarimasu ka?	7
dare	*who*	1.	**Dare** to ikimasu ka?	8
dō	*how*	1.	Ashita wa **dō** desu ka?	9
		2.	Tenki wa **dō** deshita ka?	10

Noun Sentences

N1 wa N2 desu

ex. **Watashi wa *Green* desu.** *I'm Green.*

non-past form		*past form*	
aff.	*neg.*	*aff.*	*neg.*
desu	**ja arimasen**	**deshita**	**ja arimasen deshita**
is	*is not*	*was*	*was not*

Verb Sentences

N wa N[place] ni ikimasu / kimasu / kaerimasu **N: noun**

ex. **Hayashi-san wa Ginza ni ikimasu.** *Mr. Hayashi is going to Ginza.*

non-past form		*past form*	
aff.	*neg.*	*aff.*	*neg.*
-masu	**-masen**	**-mashita**	**-masen deshita**

N [person] wa N o V **V: verb**

ex. ***Lee*-san wa resutoran de hiru-gohan o tabemasu.** *Ms. Lee has lunch at a restaurant.*

	non-past form		*past form*	
	aff.	*neg.*	*aff.*	*neg.*
go	**iki masu**	**iki masen**	**iki mashita**	**iki masen deshita**
come	**ki masu**	**ki masen**	**ki mashita**	**ki masen deshita**
come back	**kaeri masu**	**kaeri masen**	**kaeri mashita**	**kaeri masen deshita**
wake up	**oki masu**	**oki masen**	**oki mashita**	**oki masen deshita**
go to bed	**ne masu**	**ne masen**	**ne mashita**	**ne masen deshita**
take (a shower)	**abi masu**	**abi masen**	**abi mashita**	**abi masen deshita**
drink	**nomi masu**	**nomi masen**	**nomi mashita**	**nomi masen deshita**
eat	**tabe masu**	**tabe masen**	**tabe mashita**	**tabe masen deshita**
read	**yomi masu**	**yomi masen**	**yomi mashita**	**yomi masen deshita**
see, look, watch	**mi masu**	**mi masen**	**mi mashita**	**mi masen deshita**
listen	**kiki masu**	**kiki masen**	**kiki mashita**	**kiki masen deshita**
buy	**kai masu**	**kai masen**	**kai mashita**	**kai masen deshita**
do	**shi masu**	**shi masen**	**shi mashita**	**shi masen deshita**

Adjective Sentences

adjective + N

ex. **Kore wa takai wain desu.** *This is expensive wine.*
J-Resutoran wa kireina resutoran desu. *J-Restaurant is a beautiful restaurant.*

noun modifier: adjective + noun		
-i adjective	**takai wain**	*expensive wain*
-na adjective	**kireina resutoran**	*beautiful restaurant*

N wa adjective desu

ex. **Kono wain wa takai desu.** *This wine is expensive.*
J-Resutoran wa kirei desu. *J-Restaurant is beautiful.*

	non-past form		*past form*	
	aff.	*neg.*	*aff.*	*neg.*
-i adjective	**takai desu**	**takakunai desu**	**takakatta desu**	**takakunakatta desu**
-na adjective	**kirei desu**	**kirei ja arimasen**	**kirei deshita**	**kirei ja arimasen deshita**

i-*adjectives*

	noun modifier			*aff.*						*neg.*					
				non-past form			*past form*			*non-past form*			*past form*		
big	**ōki**	**i**	**+ noun**	**ōki**	**i**	**desu**	**ōki**	**katta**	**desu**	**ōki**	**kunai**	**desu**	**ōki**	**kunakatta**	**desu**
small, little	**chiisa**	**i**		**chiisa**	**i**	**desu**	**chiisa**	**katta**	**desu**	**chiisa**	**kunai**	**desu**	**chiisa**	**kunakatta**	**desu**
expensive	**taka**	**i**		**taka**	**i**	**desu**	**taka**	**katta**	**desu**	**taka**	**kunai**	**desu**	**taka**	**kunakatta**	**desu**
cheap	**yasu**	**i**		**yasu**	**i**	**desu**	**yasu**	**katta**	**desu**	**yasu**	**kunai**	**desu**	**yasu**	**kunakatta**	**desu**
hot (weather)	**atsu**	**i**		**atsu**	**i**	**desu**	**atsu**	**katta**	**desu**	**atsu**	**kunai**	**desu**	**atsu**	**kunakatta**	**desu**
cold (weather)	**samu**	**i**		**samu**	**i**	**desu**	**samu**	**katta**	**desu**	**samu**	**kunai**	**desu**	**samu**	**kunakatta**	**desu**
hot, spicy	**kara**	**i**		**kara**	**i**	**desu**	**kara**	**katta**	**desu**	**kara**	**kunai**	**desu**	**kara**	**kunakatta**	**desu**
sweet	**ama**	**i**		**ama**	**i**	**desu**	**ama**	**katta**	**desu**	**ama**	**kunai**	**desu**	**ama**	**kunakatta**	**desu**
delicious	**oishi**	**i**		**oishi**	**i**	**desu**	**oishi**	**katta**	**desu**	**oishi**	**kunai**	**desu**	**oishi**	**kunakatta**	**desu**
interesting	**omoshiro**	**i**		**omoshiro**	**i**	**desu**	**omoshiro**	**katta**	**desu**	**omoshiro**	**kunai**	**desu**	**omoshiro**	**kunakatta**	**desu**
enjoyable	**tanoshi**	**i**		**tanoshi**	**i**	**desu**	**tanoshi**	**katta**	**desu**	**tanoshi**	**kunai**	**desu**	**tanoshi**	**kunakatta**	**desu**
far	**tō**	**i**		**tō**	**i**	**desu**	**tō**	**katta**	**desu**	**tō**	**kunai**	**desu**	**tō**	**kunakatta**	**desu**
good	**i**	**i**		**i**	**i**	**desu**	**yo**	**katta**	**desu**	**yo**	**kunai**	**desu**	**yo**	**kunakatta**	**desu**

na-*adjectives*

	noun modifier			*aff.*				*neg.*				
				non-past form		*past form*		*non-past form*		*past form*		
beautiful	**kirei**	**na**	**+ noun**	**kirei**	**desu**	**kirei**	**deshita**	**kirei**	**ja arimasen**	**kirei**	**ja arimasen**	**deshita**
famous	**yūmei**	**na**		**yūmei**	**desu**	**yūmei**	**deshita**	**yūmei**	**ja arimasen**	**yūmei**	**ja arimasen**	**deshita**
convenient	**benri**	**na**		**benri**	**desu**	**benri**	**deshita**	**benri**	**ja arimasen**	**benri**	**ja arimasen**	**deshita**
quiet	**shizuka**	**na**		**shizuka**	**desu**	**shizuka**	**deshita**	**shizuka**	**ja arimasen**	**shizuka**	**ja arimasen**	**deshita**
lively	**nigiyaka**	**na**		**nigiyaka**	**desu**	**nigiyaka**	**deshita**	**nigiyaka**	**ja arimasen**	**nigiyaka**	**ja arimasen**	**deshita**